GEBETEN

Ronald Verheyen
&
Philippe Truyts

GEBETEN

UITGEVERIJ
KRAMAT

mei '10

Kramat BVBA
Hulshoutsesteenweg 24
2260 Westerlo Belgium
Tel./Fax: +32 (0) 16 68 05 87
www.kramat.be

ISBN: 9789079552238
Wettelijk Depot: D/2010/7085/2
Nur: 283
Copyright © Ronald Verheyen & Philippe Truyts
Vormgeving: Roelof Goudriaan
Cover: Artrouvé, Berlaar
Drukwerk: MultiPrint LTD, Bulgaria

Lachesis:

de schikgodin uit de Griekse mythologie
die de levensdraad afmat en besliste
hoelang iemand nog te leven had.

Voor Ben

Proloog

De slang had veel energie verbruikt om de reuzenpad te verschalken. Het verteringsproces was nog maar net begonnen. In het zonlicht schit-terden de druppels van de hevige tropische regenbui op de oranjeroze schubben als kralen van juweeltjes. Normaal maakten de huid en de bruinzwarte nettekening hem onzichtbaar tussen de dorre bladeren op de regenwoudvloer, maar dat was nu niet het geval. De man zag de schittering van de druppels en kon nauwelijks een kreet van bewon-dering onderdrukken. Hij hoefde dat niet te doen, want slangen zijn doof. Eindelijk had hij de soort gevonden waarvoor zijn opdrachtgever hem een vorstelijk bedrag had beloofd.

De slang voelde de trillingen in de bodem, maar de anders zo dode-lijke uitval bleef achterwege: hij voelde de pijnlijke greep van de tang in zijn nek. Daarna waren er alleen de duisternis en vreemde geuren...

Hoofdstuk 1

Tien minuten stond Richard nu al op de open plek tussen de struiken te wachten. Het was na middernacht en er hing een klamme warmte.

Net toen hij zich ongerust begon te maken, hoorde hij voetstappen op het grindpad. Richard glimlachte toen hij het silhouet van de kolossale man zag afkomen. Met de kist onder zijn arm.

'Juan, eindelijk, daar ben je.'

De mannen schudden elkaar hartelijk de hand.

'En je hebt mijn vrachtje meegebracht, zie ik.'

Juan veegde het zweet van zijn voorhoofd en zette de kist voorzichtig op de grond.

'Dit was mijn moeilijkste opdracht, Richard, maar voor zoveel geld doet een mens al wat meer, nietwaar?'

Richard haalde een bundel bankbiljetten uit zijn vieze bermudashort.

'Natellen?'

Juan schudde het hoofd en wou het geld in zijn achterzak steken, toen een hevig geritsel hen deed opschrikken.

De oranje straatverlichting priemde net genoeg door het bladerdek om te kunnen zien met wie ze te doen hadden.

Juan en Richard staarden verbijsterd naar de twee jonge kerels die aan de rand van de open plek bleven staan. De grootste van de twee hield een revolver op hen gericht en de andere, tenger en met bruine gelaatskleur, dreigde met een dolk.

'Dat geld hier, kom en wat snel!' zei die met de revolver. Richard beefde van angst, maar op Juan maakte het allemaal weinig indruk. Hij zag dat beide boefjes niet overliepen van zelfvertrouwen. Het wapen trilde in de hand van de jongen. En het kereltje met het mes deed enkele stappen achteruit en wilde het eerder op een lopen zetten.

De jongen hield nu het wapen met beide handen vast.

Juan keek minachtend op de jongens neer en zwaaide treiterend met het geld.

'Kom het maar halen, als je durft.'

Richard hield het niet meer uit.

'Juan, geef hem dat geld, in godsnaam!'

De gewapende jongen schrok even van de stem uit de achtergrond en daarvan maakte Juan gebruik om naar de overvaller te duiken. De jongen vuurde in paniek, miste zijn aanvaller, maar trof Richard in de borst. In de worsteling die volgde, vielen Juan en de jongen op de kist die krakend uiteenviel. En weer ging er een schot af. Juan voelde even de golf van pijn die door zijn lichaam schoot en daarna niets meer. Nooit meer.

Razende paniek. Twee lijken, en daar stond hij met die verdomde revolver. Geld, ja, dat wilde hij, en de kick van een overval, maar iemand doden… Het zweet gutste van zijn voorhoofd.

10

'Mo…' Hij draaide zich om, maar zijn kompaan had de benen genomen.

'Rotzak.'

In een opwelling gooide hij het wapen zo ver hij kon, hij wilde wegrennen, maar zijn blik viel op het bundeltje geld naast het lijk van Juan. Toen hij het wilde pakken, zag hij uit een ooghoek iets bewegen tussen de spaanders van de kist.

Een slang. En die maakte een raar geluid. Een soort gefluit. Helemaal niet het geluid dat je van een slang verwacht. Het was een gigantisch beest met een massieve afgeronde kop en een lichaam dat bedekt was met oranjeroze schubben en een patroon van diamantvormige tekeningen.

Gedurende een fractie van een seconde stonden slang en jongen als bevroren tegenover elkaar. Een film waarvan het beeld even stopgezet werd. Toen de jongen naar het geld greep, sloeg de slang toe. En nog eens. Drie centimeterlange giftanden doorboorden de weke mensenhuid. De jongen liet een aantal biljetten vallen en gilde. Hij rende weg, terwijl hij naar de pijnlijke plek op zijn dij tastte. Angst en paniek. Hij begon te wenen.

O God, als dat maar geen gifslang was, ging het almaar door zijn hoofd.

Mohamed gooide het mes in de slotgracht van het kasteel Sterckxhof en rende de longen uit zijn lijf. Nooit zou hij zich nog inlaten met die Davy. Twee doden. En hij had ook iets zien bewegen toen die kist versplinterd werd. Wat was het geweest? Steeds maalden die vreselijke beelden door zijn hoofd. Die man die neerzeeg en naar zijn borst greep… Dit zou hij nooit of nooit vergeten.

Net buiten het park ging hij tegen het gigantische wiel van een vrachtwagen zitten.

'Nooit meer… Nooit meer,' prevelde hij.

Davy bereikte uitgeput de autoweg aan de andere kant van het park. In een totale staat van verwarring.

Wat moest hij doen? Naar huis? De vragen van zijn ouders. Zijn dronken stiefvader die niks voor hem voelde en hem geregeld oorvegen uitdeelde…

Onderweg was hij even gestopt omdat de pijnscheuten heviger werden. Toen hij zijn broek liet zakken, zag hij hoe de huid opzwol en verkleurde op de plaatsen waar de slang gebeten had.

Giftig, ze was giftig. De gedachte alleen al snoerde zijn keel dicht.

Zijn keel. Hij proefde iets kleverigs. Toen hij het uitspuwde, kleurde de stoep rood. Met zijn vingers ging hij voorzichtig langs zijn tanden en tandvlees en voelde bloedklonters in zijn mondholte.

Een ziekenhuis, schoot het door zijn hoofd. Ik moet naar een ziekenhuis. Het is hier niet veraf. Dan gaan ze vragen stellen… Vragen… Maar misschien ging hij dood indien hij niet zou gaan… Verdorie, het moet maar…

Davy wandelde verder. In de verte zag hij verkeerslichten. Nog zo ver, dacht hij. Zijn blik werd troebel en hij stapte moeilijker. Het leek alsof alle energie door de poriën van zijn huid wegvloeide. Hij strompelde tot aan de verkeerslichten die op rood stonden. Het was drie uur in de ochtend en er was geen auto te zien. Davy voelde alleen maar die verschroeiende pijn die zijn hele lichaam in brand zette. Hij wankelde nog tot op het midden van het zebrapad en stortte daar in elkaar. Hij zou zijn ogen nooit meer openen.

Enkele minuten later stopte een auto vlak voor het levenloze lichaam. Een jong koppel dat net van een bruiloftsfeest kwam, stapte uit. De leuke herinneringen aan het feest leken ineens ver weg. De man belde om een ziekenwagen en de politie. Hij vermoedde dat de jongen het slachtoffer was geworden van een vluchtmisdrijf. De ziekenwagen was het snelst ter plaatse, omdat het ziekenhuis op amper driehonderd meter lag. Toen de dokter de eerste zorgen wilde toedienen, zag hij dat het niet meer hoefde. Hij had veel ervaring op het gebied van verkeersslachtoffers, maar dit soort verwondingen deed hem zijn wenkbrauwen fronsen. De verkleuring van de huid, de opengebarsten wonde en het bloederige slijm dat uit een mondhoek liep, wezen in de verste verte niet op een banaal verkeersongeluk. De twee politieagenten die een paar minuten later arriveerden, konden dit alleen maar beamen.

Toen de zon net onder de horizon de oostelijke hemel oranje deed opgloeien, begon de dokter in het kleine zaaltje van de spoedafdeling aan het onderzoek van het lichaam van Davy.

Nog eens drie uur later vond een vroege wandelaar met zijn hondje de twee lijken in het Rivierenhofpark.

Hoofdstuk 2

De slang gleed soepel door de ochtendlijke schemering. Hij bewoog zich voort in horizontale golvingen als een kolossale duizendpoot. Geen enkele hindernis vormde een probleem. De combinatie van gras, struiken, enkele omgevallen bomen en de nabijheid van water geleek wat op zijn habitat in Zuid-Amerika. Hier was er niet zo'n overvloed aan prooidieren als ginder, maar toch ruim voldoende om zijn honger te stillen. De voorbije nacht had hij al een eekhoorn verschalkt en nu zocht hij een schuilplaats. Die vond hij onder een omgehakte beuk in een kuiltje gevuld met dorre bladeren. Het schubbenpatroon werkte als perfecte camouflage en alleen een geoefend oog kon hem zien liggen.

Het was half juli en aan de hittegolf kwam maar geen eind. Het was pas zeven uur 's morgens en de thermometer wees al tweeëntwintig graden Celsius aan.

Sam had naar deze dag uitgekeken als een kind naar sinterklaasavond. Hoewel zijn oom adjunct-directeur was van de dierentuin van Antwerpen, stond Sam tussen de monumentale stenen leeuwen aan de ingang van de Zoo alsof hij er voor het eerst kwam. Eindelijk was hij oud genoeg voor een vakantiebaantje als werkstudent in de dierentuin. De verwachting zorgde voor leuke kriebelingen in zijn lichaam. Nu zou hij met grote slangen en hagedissen kunnen werken. Hij was gek op reptielen, tot grote wanhoop van zijn moeder. Hoe had hij niet de oren van haar hoofd gezeurd om een slang te mogen houden.

'Geen sprake van,' had zij gezegd. Dankzij zijn vader kwam het tot een compromis: het werden twee smaragd-hagedisjes in een terrarium.

Tot half september zou hij in het reptielenhuis werken. Daarna wachtten de universiteit en de studies biologie.

Nadat hij zich gemeld had bij de portier, wandelde hij naar het reptielenhuis dat helemaal achteraan op een heuvel lag. Ben Van Dijck, het hoofd van de reptielenafdeling, stond hem op te wachten.

Sam kende alle verzorgers, maar Ben was zijn favoriet: een goedlachse reus met blond piekhaar, iemand aan wie je alles kon vragen over slangen, hagedissen, schildpadden en krokodillen. Het publiek kende hem van het tv-programma 'Het Leven zoals het is in de Zoo'.

'Hallo, Sam, klaar voor de strijd met de pythons en de cobra's? Kom binnen, want het is hier wat frisjes!'

Sam kreeg een rondleiding achter de verblijven van de dieren. Ben legde hem uit wat mocht en niet mocht, welke kooien verboden gebied voor hem waren, de voedertijden en de menu's van de verschillende soorten.

'Ik weet dat het allemaal wat veel is om te verwerken, Sam, maar hier is een mapje met al de instructies die je thuis nog eens kunt doornemen. Heb je vragen, twijfels… aarzel niet en vraag naar mij of mijn assistent Erik. Bij de gifslangen en de krokodillen blijf je weg. Begrepen?'

Sam knikte en was een beetje overweldigd door Bens uitleg. Hij had het zich toch wat eenvoudiger voorgesteld. Bovendien was zijn eerste taak ook al niet om te juichen: menu's klaarmaken en lege terraria schoonmaken. Hij deed zijn uiterste best om geen ontgoocheling te tonen.

Tijdens de lunch op het terras in de schaduw van een grote plataan probeerde Ben zijn krant te lezen, terwijl Sam naast hem zat en geamuseerd naar een bonte horde toeristen keek. Bens blik viel op een krantenkop op bladzijde drie:

Bloedige afrekening in park?

Zondagnacht werden twee lijken ontdekt in het park Rivierenhof in Deurne. Beide lichamen vertoonden schotwonden. Naast de slachtoffers vond de politie bankbiljetten en een verbrijzelde kist. De politie kon al snel de identiteit van de twee doden achterhalen: het betrof Juan Cordaro, matroos van het vrachtschip Triton, en Richard Leunis, werkloos en ex-werknemer bij de Zoo van Antwerpen. Bij deze laatste vonden de speurders thuis een verzameling dodelijke gifslangen. De politie vermoedt dat het om een afrekening gaat en zoekt intensief naar mogelijke getuigen en motieven.

'Hé, Karel, heb je dit al gelezen?' Ben riep een collega die aan het tafeltje naast hem zat. Sam zag de opwinding op Bens gezicht.

Karel, de olifantenverzorger, kon zijn ergernis niet verbergen.

'Leunis, hé, ik kon die man niet luchten. Onverantwoordelijk. Bezeten door gifslangen.'

Sam nam de krant over en las het artikel ook.

'Wie was die Leunis?' vroeg hij.

'Hij heeft hier ooit gewerkt. Niets op aan te merken, tot hij een zwarte mamba had binnengesmokkeld. Hij hield het beest in de quarantaineruimte in een terrarium waarvan hij de voorruit had afgeplakt. Op de bak kleefde een sticker met de naam van een ongevaarlijke rattenslang. Naïef en onverantwoord van hem, want een mamba herken je uit de duizend omdat hij zeer agressief is en wanneer hij zijn bek openspert, zie je zijn zwart verhemelte. Mijn collega Erik ontsnapte ternauwernood aan een beet toen hij die bak wou inspecteren. Onmiddellijk ontslag dus voor Leunis en een fikse boete van de politie. In het artikel is sprake van een kist. Zou hij misschien…'

'Ik weet wat jij denkt,' riep Karel die al op weg was naar zijn olifanten.

'Kom, Sam, we zullen maar eens opnieuw aan het werk gaan, ondertussen zal ik je nog wat vertellen over meneer Richard Leunis.'

's Avonds lag Sam uitgeteld in een tuinstoel. Nooit gedacht dat het verzorgen van dieren zo'n harde job zou zijn, dacht hij. Hij had amper een reptiel gezien die eerste dag en hij hoopte dat hij geen acht weken kooien zou moeten schoonmaken of worteltjes en sla snijden. En Ben had een van de grootste pijlgifkikkerverzamelingen ter wereld. Niks had hij erover verteld. Ja, die aan het publiek getoond werden, die kende hij. Maar waar zat de rest?

Onder het schijnsel van de tuinverlichting bladerde Sam door het instructiemapje van Ben. Onderaan de laatste bladzijde had Ben een paar woordjes gekribbeld: 'Morgen een verrassing.'

Sam viel gelukzalig in slaap tot zijn moeder hem wekte om naar bed te gaan.

Hoofdstuk 3

De aanhoudende hittegolf had de grond kurkdroog gemaakt, maar de slang proefde in de lucht met zijn gevorkte tong de nabijheid van water. Het was de vijver die gedeeltelijk om het openluchttheater lag. Terwijl hij dronk, barstte er een geluidsorkaan los vanuit het theater. Het zomerseizoen was begonnen en een rockband deed een soundcheck. De slang hoorde het niet. Hij was doof.

'Dood ten gevolge van cardio-respiratorische stoornis door onbekende oorzaken,' had de dienstdoende dokter die nacht gezegd. Guido De Keyser was patholoog-anatoom bij de gerechtelijke diensten en een kei in zijn vak. Zijn taak bestond erin zo juist mogelijk de doodsoorzaak van slachtoffers op te sporen. De politie was wat blij dat ze dit geval aan hem konden overlaten. Daarnet had hij de twee lijken onderzocht die in het Rivierenhof waren gevonden. Routinewerk. Smith and Wesson p38, tweemaal afgevuurd: één op die zware man van zeer dichtbij en één op de kleine man met de baard van op hoogstens tien meter.

Maar het geval Davy was van een totaal andere orde.

Nee, dit was geen 'vermoedelijk' drugsgeval zoals de politieman suggereerde.

De ogen van Davy stonden open en het leek Guido of ze verbijsterd keken, alsof ook hij probeerde te doorgronden wat de oorzaak van zijn dood was. Zijn handen betastten de romp. De huid was al behoorlijk koud en zag er grijs uit. De mond stond open in een bizarre grijns en de tanden waren bedekt met geronnen bloed; lippen en kin waren besmeurd met opgedroogd slijm. Hij liet zijn ogen over het lijk glijden. Dat deed hij om een algemene indruk te krijgen. Zijn blik bleef hangen bij de dij en de gebarsten huid, de bloederige vezels en de blauwzwarte zwellingen. Het viel hem op dat er in totaal vier gaatjes in de spiervezels zaten, gedeeltelijk onzichtbaar door het gestolde bloed.

De vier gaatjes zaten Guido De Keyser dwars. Ze schenen twee paren te vormen: één paar even boven de knie, het andere tien centimeter hoger. Nu wist hij het zeker: dit had niets met een verkeersongeval te maken.

Hij had lang geleden een paar jaar bij Artsen zonder Grenzen gewerkt en het slachtoffer dat hier voor hem lag bracht enkele onaangename herinneringen terug voor zijn geest: slangenbeten. In India en Kenia had hij er tientallen moeten behandelen, soms met goed resultaat maar ook dikwijls met fatale afloop.

Een gifslang. Hij voelde zijn nekharen overeind komen. In de tropen werd een collega ooit wakker met een cobra op zijn borst. Dat was voor Guido een goede reden om zo snel mogelijk een baan te zoeken in een land met wat vriendelijker fauna.

Guido draaide zich plotseling om en liep naar zijn kantoor. Hij pakte twee mappen met politieverslagen van het onderzoek ter plaatse. In de ene map stak het onderzoek naar de dood van de jongen, in de andere las hij de tekst over de schietpartij met dodelijke afloop in het park die nacht. Ja, hier stond hij met foto en al: de terrariumkamer van die meneer Leunis met zijn verzameling gifslangen. Op dat moment ging de telefoon. Het was zijn collega van het lab, Van Dorst.

'Guido, man, ik heb het resultaat over die kist, je gelooft het...'

'Jawel, er zat een slang in.' Het bleef even stil aan de andere kant van de lijn.

'Ik heb net die jongen onderzocht. Je weet wel, de jongen die men gevonden heeft op dat kruispunt in Deurne. Zijn dijwonde vertoont alle symptomen van een slangenbeet. Ik weet wat je gaat zeggen. Die jongen bevond zich inderdaad niet zo ver van de plaats waar die twee mannen en die kist zijn gevonden. Maar uit het verslag kan ik afleiden dat de speurders een link leggen tussen de twee feiten. Misschien heb je het gelezen: één van die mannen verzamelde gifslangen en wie weet...'

'Dit is géén toeval, Guido. In de kist vond ik schubben en een klein stukje huid. Het *is* een slang. Ik heb alles naar de dierentuin gestuurd. Er is daar een herpetoloog...'

'Een wat?'

'Een herpetoloog is iemand die reptielen bestudeert. De inspecteur die belast is met het onderzoek wil alles weten over slangen en slangenbeten.'

'Ken ik hem?'

'Ja, Guido, het is speurneus nummer één himself: Françis Severijns.

Hoofdstuk 4

De eekhoorns, de veldmuizen, de ratten en de eendenkuikentjes beseften nog niet wat een formidabele dodelijke vijand zich in hun midden had genesteld. Deze slang was uitgerust met een zeer speciaal hoogtechnologisch zintuig: warmteontvangers in de vorm van twee putjes tussen neusgat en oog. 's Nachts jagen was helemaal geen probleem: hij zag gewoon de warmte van zijn prooi.

Françis Severijns, hoofdinspecteur en speurder bij de stedelijke politie, zweette als een paard in de vochtige hitte van het reptielenhuis.

Hoe houden mensen dit hier vol, dacht hij toen hij zat te wachten in het benepen bureel van Ben Van Dijck. Severijns was wat te vroeg en had van de gelegenheid gebruikgemaakt om wat te kuieren in de tuin. Maar onder de loden zon was elke stap er een te veel. En nu was het hierbinnen nog erger. De inspecteur dronk gulzig van zijn colaflesje toen Ben stralend en fluitend binnenkwam. Tot zijn grote verbazing scheen die geen last te hebben van de hitte. Achter de grote gestalte van de verzorger verscheen ook een wat verlegen blonde jongen wiens beige T-shirt doordrenkt was van het zweet.

'Hallo, inspecteur, ik ben Ben en dit is Sam, mijn assistent voor deze zomer. Hij weet veel, en misschien wel alles over gifslangen.' Sam bloosde maar niemand merkte daar wat van omdat zijn hoofd al gloeide van de hitte. Er werden handen geschud en Severijns stak direct van wal en richtte zich tot Ben.

'Jij kende Richard Leunis goed?'

'Ja, meneer, hij is een tijdje mijn collega geweest in het reptielenhuis in de dierentuin, maar hij...'

'Meneer Leunis is toen maar gifslangen gaan houden als hobby. Hij deed dat zeer nauwgezet en had oog voor zijn veiligheid en die van zijn medeburgers, maar dat neemt niet weg dat het houden van zo'n beesten een onverantwoorde bezigheid blijft.'

Er viel een stilte. De politieman genoot zichtbaar van de aandacht die hij kreeg.

Hij keek verbaasd op toen hij de stem van Sam hoorde. De vraag sloeg hem even uit zijn lood.

'Gaat u nu zeggen welke slang die jongen doodde?'

Severijns blaakte van triomf.

'Ja. Onze betreurde vriend Leunis had al een terrarium voor zijn nieuwste aanwinst klaargemaakt. Hij had zelfs al een naambordje op de ruit geplakt, met een kaart van het leefgebied van de slang.'

'Kom, inspecteur, zeg het nu maar,' zei Ben, die zijn geduld begon te verliezen.

'Een bosmeester, de slang is een bosmeester.'

Ben kon nauwelijks zijn enthousiasme verbergen.

'Wow, *Lachesis muta,* dat is een van de mooiste slangen ter wereld. Er zijn weinig slangen die zo mooi gekleurd zijn als de bosmeester. Kan vier meter lang worden en is uiterst giftig. Wie ver van de bewoonde wereld gebeten wordt, is onherroepelijk ten dode opgeschreven.'

'En erg zeldzaam in het wild,' voegde Sam eraan toe. 'Het zou wat zijn, mochten we die hier…'

De inspecteur keek enigszins geërgerd naar de jongen die zich al had omgedraaid en naar een boek zocht in het gammele rek tegen de muur. Sam bladerde snel door een van de boeken en wees toen op een foto van de bosmeester.

'Dat is 'm.' Ben keek vol bewondering naar de afbeelding van de slang. Hij pakte een balpen uit zijn jaszak en wees op een putje in de kop van het dier.

'Zie je dit hier? Onze bosmeester behoort tot de groefkopadders en dat gaatje hier is een warmtesensor. Zo heeft hij er twee. Hij kan dus eigenlijk warmte zien en jaagt dus ook 's nachts. Fantastisch!'

Ben kreeg het plotseling benauwd en begon zowaar te zweten. Severijns keek hem verbaasd aan want tot nu bleek die man geen last te hebben van de hitte.

'Verdorie, en het einde van die hittegolf is nog niet in zicht… Dit beest geniet hier van dezelfde omgevingstemperatuur als in zijn thuisland.'

Het was niet alleen Severijns die besefte dat er een probleem was. Een dodelijk probleem.

Toen de politieman aanstalten maakte om op te stappen, stelde Sam nog een vraag die al vanaf het begin van deze bijeenkomst op zijn lippen brandde.

'Meneer de inspecteur, als ik het goed begrijp, hebt u de hele zaak opgelost en is het verband tussen de dood van Leunis, de ontsnapte slang en die jongen overduidelijk?'

De hoofdinspecteur glimlachte en gaf een bemoedigend klopje op Sams schouder.

'Juist, jongen! We zijn er praktisch zeker van dat alles netjes in elkaar past. Ondertussen hebben we de vader van de jongen ondervraagd. Een gewelddadig man die constant dronken is. Hij had het steeds over een revolver die zijn zoon gestolen had. Enfin, na een tijdje wisten we dat het wapen van een vriend was, een p38. Kogelhulzen en kruitsporen op de huid van de jongen deden ook aan zo'n type wapen denken. Vandaar. En voor ik het vergeet: de andere dode man heette Cordaro, matroos op de grote vaart. Hij leverde de slang aan Leunis. Kwam net uit Zuid-Amerika. Op de plaats van de misdaad vonden we ook nog een pak bankbiljetten. De man had duidelijk veel geld over voor zijn hobby.'

'Dus, eigenlijk is de zaak opgelost, op onze ontsnapte bosmeester na,' zei Ben.

'Inderdaad, ik laat een bericht naar kranten, radio en tv sturen waarin we de burgers tot waakzaamheid en voorzichtigheid aansporen. Zonder al te veel sensatie. Maar ik maak me geen illusies, dit is een kluif voor de media in deze komkommertijd.'

En de politieman keek wat medelijdend naar Ben.

'Maak je maar klaar voor de talkshows en interviews, jongeman.'

Hoofdstuk 5

De bosmeester moest de jacht op een veldmuis onderbreken. Hij voelde de almaar toenemende trillingen in de bodem, veroorzaakt door de massa concertgangers die naar het openluchttheater gingen. Hij had zich opgerold onder een rododendronstruik en wachtte.

Sam en zijn vader zaten helemaal bovenaan in het halfrond en genoten van de omgeving en de sfeer. Binnen enkele minuten zou de ijle stem van Ozark Henry over het park galmen. Vleermuizen fladderden af en toe rond de boomkruinen. Op het podium checkten de roadies voor de laatste keer het geluid. Er hing een gezellige spanning in de lucht zo vlak voor het optreden. Toen hij naar hier kwam, moest hij onwillekeurig aan de bosmeester denken. Het was ten slotte toch hier in dit park dat de vreselijke feiten zich hadden afgespeeld. En er was nog iets wat hem dwarszat: Ben was niet meer teruggekomen op die verrassing. Was hij het vergeten? Hij had het niet aangedurfd Ben erop attent te maken. Och, niet zo ongeduldig zijn, dacht hij, zijn taak in de Zoo was pas begonnen.

Een tiental rijen vóór Sam zat een jonge kerel, wat ouder dan Sam. Hij deed alsof de show hem mateloos boeide. Ontelbare keren had hij vanuit een ooghoek naar het meisje naast hem zitten gluren. Aan de andere kant zat een vriendin en beiden keken met smachtende blikken naar de blonde zanger van de band.

Tja, je hoeft niet knap te zijn, alleen maar een beetje beroemd, dan vallen de meiden met bosjes voor je, dacht Frank.

Ze was heel mooi: gebruind, brunette en schitterende ogen. En ja, met deze hitte had je al wat meer inkijk in het decolleté, en dat was niet mis. Zijn twee boezemvrienden die halsoverkop naar zee waren gereden, wisten niet wat ze misten. Hij had al lang op voorhand zijn kaartje voor dit concert gekocht. Hij zou de volgende dag wel naar de kust rijden.

Ze had al eens vriendelijk geglimlacht naar hem, maar dat betekende niks. Toch zou hij zijn kans wagen na het optreden. Naast het openluchttheater lag een groot plein met dranktentjes. Daar zou hij al zijn moed bijeenrapen en haar en haar vriendin op een drankje trakteren.

Het zag er allemaal veelbelovend uit. Na de staande ovatie en de opwinding die door het publiek golfde, zou hij enkele woordjes met haar wisselen. Maar precies op het moment dat hij haar iets te drinken wou aanbieden, zag ze een kennis en verdween ze in de massa.

Even stond de jongen er wat ontredderd bij en vervloekte hij alle vrouwen van de wereld. Hij baande zich een weg tussen groepjes taterende mensen, niet-gemeende excuses mompelend. Bij de uitgang keek hij nog eens vertwijfeld om, maar hij zag het meisje niet meer.

Het park gonsde van de drukte en er waren op dit late uur nog steeds veel wandelaars op pad die na de hitte van de dag de aangename temperatuur van het park opzochten. Hij besloot een paadje binnendoor te nemen. Dat scheelde zeker een kwartier en zo meed hij de drukte. Zijn ouders hadden het hem nochtans nog zó gezegd: 'Frank, blijf op de wandelweg, die is goed verlicht. Je weet nooit welke figuren je op die paadjes tegenkomt.'

Links van hem lag een grasveld dat zich uitstrekte tot aan het theater en aan de andere kant begrensd werd door een vijver. Hij liep tussen de hoge rododendrons die binnen enkele ogenblikken plaats zouden maken voor de uitgestrekte sportvelden. De doorgang werd erg smal en even moest hij uitkijken waar hij zijn voeten zette.

Toen gebeurde alles in fracties van seconden: de bosmeester had net zijn schuilplaats verlaten toen Frank bovenop het uitgestrekte lichaam van de slang stapte. Heel even dacht hij aan een boomstronk, maar deze bewoog... en dan voelde hij een stekende pijn vlak onder de knie. Het was alsof een injectienaald met enorme kracht in zijn huid werd gestoken. De pijn was zó intens dat Frank bijna door de knieën ging. Ik moet hier weg, flitste het door hem heen en hij hinkte tot aan de rand van het sportveld. Daar was genoeg licht om de wonde te bekijken. Hij droeg een bermudashort en zag meteen de twee gaatjes waaruit bloed vloeide. Als een op hol geslagen rollercoaster rolden de gedachten door zijn brein: gebeten, ik ben gebeten, slang, giftig… Paniek golfde door hem heen.

Hij probeerde te rennen, maar er was iets met zijn ademhaling. Hij proefde bloed en toen hij nogmaals naar de wonde keek, zag hij de zwelling en de verkleuring rond de gaatjes. Tranen rolden over zijn wangen. 'Ik ga dood, ik ga dood,' kreunde hij almaar. Wandelaars staarden hem met blikken vol afgrijzen aan. Bij de uitgang van het park zakte hij in elkaar. Enkele mensen snelden toe, onder hen Sam en zijn vader. Sam kreeg even een glimp te zien van de wonde. Ineens was Sam met zijn gedachten weer bij de bosmeester, dat soort wonde had hij al dikwijls gezien in zijn boeken over gifslangen. Hij zag mensen in hun mobieltjes schreeuwen en zijn vader roepen om ademruimte voor de jongen.

Frank opende nog eenmaal zijn ogen. Het laatste wat hij zag, was het hoofd van een man en een mond die iets zei. Hij hoorde het niet meer.

Het mooie meisje naast wie hij had gezeten, passeerde op het moment dat hij zijn laatste adem uitblies. Ze was niet op sensatie belust en wandelde met haar vriendin het park uit.

Hoofdstuk 6

Vervellen is een onontkoombare fase in het leven van een slang. In tegenstelling tot de meeste dieren houdt een slang, van bij zijn geboorte tot aan zijn dood, nooit op met groeien. Omdat hij letterlijk uit zijn buitenste hoornachtige huid groeit, is hij genoodzaakt die drie- of viermaal af te werpen. De voorbije nacht had veel van zijn krachten gevergd. Normaal had hij in deze toestand niet aangevallen, maar iets had op zijn lichaam gedrukt en instinctief had hij uitgehaald. Omdat hij tijdens het vervellen weerloos was, bleef de slang een ganse dag in zijn schuilplaats. Toen de huid rond de bek losliet, was het proces van vervelling begonnen. Urenlang lag de bosmeester zich nu heftig te schurken tegen de boomstam tot hij zich helemaal uit de huid had gewerkt.

De kleuren van de nieuwe huid oogden nieuw en aantrekkelijk. Hij was nu op zijn mooist. Zijn gezichtsvermogen was op zijn scherpst en zoals na elke vervelling had hij grote honger...

Guido De Keyser zag in een oogopslag waaraan de jongen op de ontleedtafel was gestorven. De wonde onder de knie vertelde hem alles. En aan de verkleuring en de opengebarsten huid te zien, was dit weer een slangenbeet en bijna zeker het werk van dezelfde slang. Bij het krieken van de dag was hoofdinspecteur Severijns al op de hoogte en rond acht uur verknoeide dit nieuws het ontbijt van burgemeester Peeters.

De man dacht van een rustige zomer te genieten na de rellen in de herfst en de winter en nu zat hij met een verdomde slang in een park. Hij was al enkele jaren de gedroomde schietschijf van de pers, omdat zijn bestuur vierkant draaide. Van zowat alles wat verkeerd liep in de stad kreeg hij de schuld. Voor deze namiddag belegde hij een persconferentie en hij was maar beter goed voorbereid: die pershyena's mochten absoluut geen kans krijgen om hem nogmaals in het nauw te drijven. Er moest ook iemand komen die alle aandacht naar zich toe trok en hem uit de vuurlijn hield. Eerst dacht hij aan een hoge politieofficier. Nee, slecht idee, de politie van deze stad geniet nu ook weer niet dát aanzien. En plotseling wist hij het. Hij belde de dierentuin.

Ben en Sam stonden aan de ingang van de Zoo te wachten op hoofdinspecteur Severijns. Sam had wat graag Ben vergezeld naar de burgemeester, maar die had uitdrukkelijk het hoofd van de reptielenafdeling gevraagd.

In zijn rechterhand hield Ben een vreemdsoortige tang geklemd. Een Pilstromtang die diende om slangen bij de nek te grijpen.

'Je kent je taken voor deze morgen, Sam? Wanneer je klaar bent, zal collega Erik je laten oefenen met dit soort tang. En, je weet het, niet bij de krokodillen en de gifslangen gaan!'

Sam knikte, maar zat even met zijn gedachten ergens anders: die verrassing, zou hij het nu vragen?

Te laat, want daar was de politiewagen. Severijns stapte uit en hield het achterste portier open. Achterin zat een politieman in uniform.

'Stap maar in, Ben, dit is commissaris Vekemans.' Beide mannen schudden elkaar de hand. Severijns stapte weer in en Ben draaide het raampje aan zijn kant naar omlaag.

'Sam, je moet niet denken dat ik die verrassing vergeten ben,' zei hij knipogend. Sam bloosde. Kon Ben nu ook al gedachten lezen?

Ben en de politiemannen werden bij de ingang van het stadhuis ontvangen door een hevig transpirerende bode. Die leidde hen naar een zaaltje op de benedenverdieping waar het nog enigszins koel was.

De burgemeester gebaarde zijn gasten te gaan zitten en bood hen een karaf ijsgekoeld water aan. Hij droeg altijd een jasje met daaronder een T-shirt; nu had hij het jasje thuis gelaten en zo zag iedereen de enorme zweetvlekken onder zijn oksels. Hij negeerde de twee politiemensen en richtte zich tot Ben.

'U weet waarom u hier bent, neem ik aan?' zei de burgemeester wat overbodig.

'Ik denk het, meneer de burgemeester,' zei Ben.

'En, Ben, wat raad jij ons aan? Het park afsluiten?' De burgemeester deed alsof de politiemannen niet bestonden. Het geneerde Ben een beetje.

'Ik zou de omgeving van het theater wel afsluiten, ja. En

de mensen waarschuwen vooral niet tussen de struiken te wandelen.'

Net toen Severijns en de commissaris het op hun heupen begonnen te krijgen, wendde de burgemeester zich tot hen.

'Commissaris, ik laat het aan u over te beslissen hoeveel manschappen u inzet voor de zoekactie. Doe het discreet, geen groot machtsvertoon en alstublieft niet op het drukste moment van de dag. Ben zoekt mee.'

Daarna keek hij wat geamuseerd naar Severijns.

'Jou weten ze ook altijd te vinden wanneer er beesten in het spel zitten, nietwaar, hoofdinspecteur?*

Severijns glimlachte, maar hij wist dat er nog iets volgde.

'Proficiat voor dat knappe speurwerk, hoofdinspecteur. Echt mooi werk.'

Severijns wist zich even geen houding te geven, maar herpakte zich vlug.

'Dank je, burgemeester, maar we hebben nog altijd een probleem.'

'Jij houdt dat park en de omgeving in de gaten. De commissaris geeft je de nodige instructies. En hou alstublieft pottenkijkers en sensatiezoekers op afstand.'

De burgemeester monsterde de tang die Ben nog altijd vasthield.

'Ben, jij gaat straks op de persconferentie de mensen boeien met verhalen over slangen en hoe je die beesten vangt. Oké?'

Ben kon alleen maar instemmend knikken.

* *Zie het Spook en de Duisternis en Zwaardneus*

Hoofdstuk 7

Na iedere vervelling is het alsof slangen een verjongingskuur onder-gaan. Energie schiet in elke vezel van hun lichaam, ze zijn alerter, sneller en in het geval van gifslangen ook dodelijker. De bosmeester had zijn jachtgebied uitgebreid. Die ochtend was het de eerste keer dat hij zich verder dan ooit uit zijn territorium waagde. Gelukkig voor hem...

'Je hoeft hem niet te vangen,' zei commissaris Vekemans tot een dertigtal agenten. 'Ga het park in, zoek dat ver-domde beest en maak hem dood. Begrepen?'

Ben stond naast hem met een gezicht als een donder-wolk. Zoiets zou hij niet toelaten. Hij moest die slang levend hebben. Hij zou die agenten via de draagbare radio wel verbieden ook maar één actie te ondernemen wanneer één van hen de slang zou ontdekken.

Severijns had nog een vraag.

'Chef, is dat nu echt nodig, dit machtsvertoon? De bur-gemeester wou...'

'Severijns, doe nu maar wat ik je vraag. Ik zie er ook wel het belachelijke van in, maar de publieke opinie en de dol-gedraaide media eisen dit. Trouwens, onze collega's in New

York hebben ooit een zwarte mamba gevonden in Central Park, en dat is vierhonderdvijftig hectaren groot. Dat is nog wat anders dan dit parkje!'

'Oké, begrepen, chef. Kom, Ben, we gaan naar de omgeving waar het tweede slachtoffer is gebeten.'

'En ik wil tegen het einde van de week dit hele circus achter de rug hebben,' riep de commissaris hen nog na. Severijns vloekte binnensmonds en wenkte zijn manschappen om hem en Ben te volgen.

Ondertussen genoot Sam met volle teugen van zijn job. Hij vond het wel jammer dat Ben alweer werd opgeroepen door de politie, maar Erik was ook een zeer behulpzaam en vriendelijk collega.

Sam stond voor het terrarium van de koningspython, een mooi getekende wurgslang van nog geen twee meter lang.

'Wil je hem eens vastpakken?' Sam schrok even toen hij de stem van Erik hoorde.

Hij moest even slikken.

'Kom, jongen, dit is echt de tamste die we in huis hebben.'

Hij hield zich stoer toen ze samen het hoge terrarium binnengingen. Erik toonde hem hoe hij de python moest vastgrijpen. Toen hij de slang stevig in handen had, viel alle stress van hem af. Daarna liepen ze naar een kleiner verblijf waar een rattenslang zat, een beweeglijk en snel dier. Daar zag Sam hoe vaardig Erik zulke slangen met stok en haak manipuleerde.

Toen hij het zelf mocht proberen, lukte dat niet zo goed en dat frustreerde hem bovenmatig.

'Kop op, Sam,' zei Erik sussend, 'tegen het einde van de week heb je dit zeker onder de knie, maar nu moet jij dringend menu's gaan samenstellen.'

Wanneer Sam aan een taak begon of iets studeerde, dan moest alles perfect zijn. Lukte iets niet van de eerste keer, dan was hij niet om aan te spreken. Gelukkig was Erik het eerste uur niet in zijn buurt.

De agenten liepen in rijen van tien naast elkaar over grasvelden en doorheen struiken. Met een lange stok zwiepten ze heen en weer over de bodem. Ben tastte met de tang onder gevallen boomstammen, in holle bomen, in putjes. Niets.

Na twee uur hielden de manschappen het niet meer uit van de dorst. De hitte was op het middaguur bijna ondraaglijk geworden. Severijns blies toen tot grote opluchting van alle agenten de zoekactie af.

Vekemans stond hen op de parking op te wachten.

'Niets,' zei Severijns met een lange zucht.

De commissaris keek met een vragende blik naar Ben.

'Ik denk dat we het zoekgebied moeten uitbreiden, commissaris.'

Vekemans stond er even besluiteloos bij.

'Goed, morgen opnieuw. Met twintig man meer. De burgemeester moet dit maar goedkeuren. En, Ben, bedankt voor je hulp, ik denk dat we jou meer nodig hebben in de dierentuin, niet?'

Ben had dit niet verwacht en dacht aan de slang die afgemaakt zou worden. Maar Vekemans was de baas en de suggestie om de slang levend te vangen zou waarschijnlijk op hoongelach onthaald worden.

'Ja, commissaris. U weet me te bereiken als u me nodig hebt?'

'Zeker, Ben. Tot ziens.'

Severijns zag met lede ogen de blonde reus vertrekken.

Hoofdstuk 8

Het scheelde echt niet veel of Ben had de slang ontdekt. De bosmeester lag netjes opgerold in het hoge gras aan de rand van een nu bijna uitgedroogde sloot. Het was ook de biotoop van de ringslag, de kikker, de pad en het waterhoentje. Net op het moment dat Ben het gebied wou betreden, werd hij door een agent teruggeroepen.

De bosmeester verbleef hier de hele dag en tegen de schemering verraste hij een pad.

Toen Sam 's avonds thuiskwam, mokte hij nog altijd over zijn slechte beurt bij het slangenvangen. Het was ook geen leuke dag geweest voor Ben. Eerst werd hij al na één zoekbeurt bedankt voor bewezen diensten omdat de commissaris hem maar een sta-in-de-weg vond. Daarna was de pers binnengevallen onder de leiding van de pr-vrouw van de Zoo en onderging hij het ene interview na het andere. Aan het einde van de dag was Ben dan ook niet om aan te spreken.

Sam keek zelden tv in de zomer, maar nu wou hij het journaal van 19 uur zien. Hij negeerde de vragende blikken van zijn ouders. Ze wisten direct dat hun zoon weer één van die buien had.

Liefst twaalf volle minuten besteedde het tv-journaal aan de slang. Het begon met een luchtopname van het park waarbij een commentaarstem debiteerde: 'Ergens in dit grote park houdt zich een onwelkome bezoeker schuil... een gifslang, de bosmeester, waarvan de beet al het leven van twee slachtoffers heeft geëist.'

Dan verscheen Guido De Keyser op het scherm. De journalist vroeg hem wat hij zou doen als er een nieuw slangenbeetslachtoffer in zijn ziekenhuis belandde. Hij deed de deur van een koelkast open en haalde er een kartonnen doosje uit.

'Dit is een polyvalent antigif. Alle ziekenhuizen in Antwerpen en omgeving kregen dit van de reptielenafdeling van de Antwerpse dierentuin. Mocht men opnieuw een slachtoffer binnenbrengen, dan krijgt hij of zij dit intraveneus ingespoten. Het moet allemaal wel erg snel gebeuren.'

Sam zapte naar de plaatselijke zender.

Op het scherm verscheen Ben Van Dijck, de herpetoloog van de dierentuin. Hij legde uit dat het hele probleem van de baan zou zijn wanneer de temperatuur snel zou dalen. Daardoor zou de slang lomer worden en in de war raken. De kans dat hij dan iemand zou bijten, zou aanzienlijk kleiner worden. Ben gaf nog enkele nuttige tips: begeef u niet tussen het kreupelhout, kijk goed waar u de voeten neerzet als u door het gras loopt. En in geval van een beet: vermijd lichamelijke inspanning, alcohol, paniek... dit alles versnelt immers de hartslag en verspreidt het gif sneller door het lichaam...

Sam liet de tv aan zijn ouders en liep de trap op naar zijn kamer. Morgen had hij een vrije dag.

De volgende morgen stapte Sam in een iets betere stemming uit het bed. Het beloofde weer een ontzettend hete dag te worden. Hij besloot een duik in het openluchtzwembad van het Boeckenbergpark te nemen. Dat lag net als het Rivierenhof in Deurne, maar wat zuidelijker, en het was zeer klein. Op weg daarheen zou hij eerst het Rivierenhof doorkruisen. Dit laatste vertelde hij niet aan zijn ouders. Hij kon het zich zo voorstellen: zijn moeder zou beginnen zeuren van 'moet je daar nu echt doorheen?' en 'langs die andere weg is het toch korter?' en 'zie dat je die slang tegenkomt…'

Nee, dus. Och, hij wou alleen maar eens even op die plaatsen zijn waar de feiten zich hadden afgespeeld. Misschien was er zelfs geen politie te bespeuren.

Sam reed de brede geasfalteerde weg op die het park doormidden sneed. Hij dacht dat ieder paadje dat toegang gaf tot het park bewaakt zou zijn. Niets van dit alles. Daarna peddelde hij naar de omgeving van het kasteel waar de twee doden waren gevallen. Sam keek wat schichtig om zich heen. Hij zag wat wandelaars langs het kasteel lopen, maar niemand lette op hem.

Tien minuten later fietste hij rond de gracht van het openluchttheater en stopte uiteindelijk voor de gesloten toegangspoort. In deze omgeving is het laatste slachtoffer gevallen, dacht hij. De hitte hing als een warme klamme dweil om zijn lichaam. Hij zweette hevig en hij verlangde alleen maar naar het koele water van het zwembad. Hij nam een gulzige slok van de drinkbus en fietste naar het andere park. Zonder het te weten passeerde hij de plaats waar Frank enkele dagen geleden gebeten werd.

De vrouw zat onder een grote rode beuk een boek te lezen. Ze keek even op toen Sam haar in razende vaart voorbij-fietste. Haar dochtertje zat gelukkig een eindje van het pad te spelen. Af en toe verscheen er een frons op haar gezicht, na een paar zinnen sloeg ze dan haar ogen op en zei: 'Anissa, denk aan wat ik gezegd heb: niet in de bosjes!'

Het kind keek even op en concentreerde zich verder op haar schopje waarmee ze hardnekkig probeerde zand uit de harde bodem te scheppen.

De vrouw bleef een poosje naar haar kind kijken om daarna naar haar boek terug te keren.

'Anissa, maak je kleren niet vuil. Sta op!'

De peuter schonk geen aandacht aan haar. Ze zat voor-overgebogen en haar wang raakte de grond. Ze volgde met haar ogen een kevertje dat over haar been liep. Het krie-belde en ze moest erom lachen.

Het insect zette zijn tocht op het gras voort. Op haar knieën schuifelde Anissa achter de kever aan. Ze vond hem en legde haar hand erop. De kever kroop onder de hand vandaan en rende weg. Anissa ging erachteraan, snel krui-pend op handen en knieën. Tussen twee rododendron-takken was ze hem kwijt. Ze kroop niet verder, haar ogen vlakbij de grond. Toen ze haar hoofd optilde, zag ze de slang. Hij lag opgerold in de schaduw, net buiten de zon. Zijn grote driehoekige kop was zichtbaar tussen de verdorde bladeren.

De slang keek naar de peuter en siste zachtjes. Zijn tong verkende de lucht. Het meisje bewoog zich en vormde geen direct gevaar. Maar de slang was op zijn hoede. Opeens klapte Anissa in haar handjes en kroop naar het reptiel toe. De bosmeester verstarde. Het sissen werd feller en veranderde in een lage fluittoon; de slang sperde zijn bek halfopen, klaar om toe te slaan.

De moeder keek op. 'Anissa, wat doe je daar? Kom hier! Nu, onmiddellijk.'

Haar dochtertje keek op en kroop dan weer verder.

'Anissa! Wanneer ga je 's leren luisteren!'

Ze legde haar boek op de bank en liep geërgerd over het pad naar de struiken toe.

De lengte van de slang werd door de rododendronstruik verborgen. Alleen zijn kop en het hoger opgerichte voorste deel waren zichtbaar. Toen het meisje opstond en dichterbij kwam, waren haar ogen bijna op gelijke hoogte met die van de slang. Fluitend en sissend trok die zijn kop achteruit.

Toen hij de trillingen van de voetstappen van de vrouw voelde, wendde hij zich van Anissa af. Hij was even in de war door dit nieuwe gevaar, maar vestigde weer vlug zijn aandacht op het kind, dat nu binnen bijtbereik was.

De vrouw stormde op haar dochter af en griste haar boos van tussen de struiken weg.

'Heb ik je niet gezegd dat je bij mama moest blijven? Stoute meid!'

Anissa worstelde om uit de armen van haar moeder los te komen en strekte haar handjes uit naar de slang. Bijna dook ze uit de greep van haar moeder, maar die hield haar aan een arm vast en tilde haar van de grond.

Ze droeg het mopperende en tegenspartelende meisje op haar heup naar de bank terug. Anissa krijste van woede.

Hoofdstuk 9

*De bosmeester was weer in de buurt van het theater. De hele voor-
middag gleed hij zonder ophouden door de struiken. Nergens hield hij
halt. Nee, hij was niet op jacht, maar toch was hij instinctief op zoek
naar iets. Omdat het water van de gracht rond het theater gezakt was,
moest hij de kleine helling afglijden en toen vond hij het…*

Severijns had aan de rand van het park een commandopost
opgericht. Twaalf uur lang doorkruisten agenten met hun
stokken het Rivierenhof in alle windrichtingen. In de commandotent was het bloedheet en er heerste vooral radio-
stilte. Niemand had iets te melden. Een ambulance hield
zich klaar voor het geval een agent zou gebeten worden. In
een koelkastje in de auto was het kostbare antidotum op-
geborgen. Maar de slang liet zich niet zien, tot wanhoop
van hoofdinspecteur Severijns en commissaris Vekemans
en een hysterisch wordende burgemeester.

Eén keer scheelde het niet veel of de bosmeester had
zijn schuilplaats verraden. Twee agenten waren net van
plan om de oever van de gracht te inspecteren, toen in het
theater nog maar eens een soundcheck begon. Het gepiep

van de muziekinstallatie overstemde het gefluit en gesis van de slang. Met de vingers in hun oren liepen de agenten vloekend weg.

Zelfs tot in de keuken van het restaurant van het park en in de kleedkamers van de verschillende sportclubs werd er gezocht. Niets.

Rond zes uur 's avonds volgde in de tent een crisisberaad in aanwezigheid van de burgemeester.

'Vekemans, morgen met andere mensen opnieuw aan het werk,' zei de burgemeester nors.

'Wat denken jullie? Kunnen we het park zonder risico voor het publiek openhouden?'

Severijns en Vekemans zochten steun bij elkaar.

'We kunnen het publiek met bordjes aanraden op de grasvelden en de hoofdwegen te blijven en dichtbeboste gebieden afsluiten met nadar,' antwoordde de commissaris ten slotte.

Severijns knikte instemmend.

'De naam van de slang zegt alles: bosmeester. Die gaat zich niet vertonen in de open vlakte.'

'Oké,' zei de burgemeester enigszins opgelucht. 'En, Vekemans, haal alstublieft die Ben Van Dijck terug. Of stond die man je ego te veel in de weg?'

De commissaris liep knarsetandend de tent uit. Op Severijns' gezicht verscheen een monkellach.

De volgende dag verscheen Sam in een opperbeste stemming op zijn werk. Bij het zaaltje met de kweekbakken, zag hij Ben en Erik rond een kartonnen doos staan. De doos schudde heftig heen en weer. Het beest dat erin zat, was blijkbaar niet gediend met zijn donkere opsluiting.

Toen Sam dichterbij wou komen, stak Ben zijn hand op. 'Blijf daar even, Sam.' Bens stem klonk gespannen.

'Wat scheelt er?'

'De politie bracht deze doos een uur geleden binnen. Een rare kwast reed met zijn fiets het park in. Op zijn bagagedrager stond deze doos en die wekte argwaan bij een wakkere agent. De man wou bij wijze van grap een slang loslaten in het park,' zei Erik die door de ronde luchtgaatjes van de doos tuurde.

'We weten dat het een grote niet-giftige zwarte slang is. Zo heeft die vent ze toch beschreven. Hij had ze al een tijdje thuis in een terrarium zitten, maar, zo beweerde hij althans, zijn vrouw kreeg er almaar meer schrik van. Het is een verdomd bijtgraag agressief beest,' ging Ben verder.

'Ik denk dat ik weet welke soort het is, maar ik moet hem eerst zien natuurlijk.'

Erik nam de tang, terwijl Ben voorzichtig het touw dat rond de doos zat doorknipte. Met een stok duwde hij voorzichtig de kleppen van de doos naar boven. En toen gebeurde alles bliksemsnel.

Als een speer schoot de zwarte slang uit de doos, Erik sprong verschrikt achteruit, Sam stond als versteend naar het tafereel te staren. Ben greep een andere tang en dreef de slang, die zijn nekschubben opblies van woede, in een hoek. Net toen Ben dacht dat hij het dier bij de nek had, schoot hij naar voren en beet verscheidene keren in Bens zware schoenen.

Erik ging er op zijn beurt achteraan, maar stuurde de slang in de richting van de nog altijd versteende Sam.

'Sam, weg daar!' riep Erik. Sam deinsde achteruit en stootte tegen de wand. Naast hem stond een Pilstromtang. Werktuiglijk greep hij ernaar. Hij trok de kaken van de tang open en stootte blindelings toe.

'Je hebt hem!' hoorde hij Ben en Erik roepen. Toen hij zijn ogen opende, zag hij het glanzende zwarte lichaam in de grijparm van de tang kronkelen. Nog altijd sissend en blazend.

'Dit is de *thrasops jacksoni* of zwarte boomslang,' zei Ben. 'Ze wordt wel eens verward met de zwarte mamba of zelfs met een cobra omdat hij ook zijn nekschild openzet. Hij is niet giftig, maar weinig slangen zijn zo agressief.' En Ben keek even naar zijn rechterschoen waarin de bijtsporen nog duidelijk te zien waren.

Sam stond nog te trillen op zijn benen, terwijl hij naar het beest gluurde dat nu gekalmeerd in een terrarium lag.

'Dit was ineens grote onderscheiding voor het slangen-vangen, Sam,' zei Erik met een brede glimlach.

Sam hoopte stilletjes dat hij met deze slang niet meer geconfronteerd moest worden.

Hoofdstuk 10

Toen in de dierentuin de zwarte boomslang veilig achter slot en grendel zat, stapte Joao Sanctus, hoofd van de Tempel van de Kinderen van God, in zijn zwarte limousine. Zijn bejaarde chauffeur hield het portier van de auto voor zijn baas open. De man wist waar de rit deze morgen heen leidde. In het zog van de limo volgden nog een vijftal zwarte wagens met priesters en lijfwachten. Sanctus was zo'n predikant die zijn gehoor in vuur en vlam kon zetten. En aan het einde van een preek had hij iedereen zó in zijn greep dat ze gul de collectebussen vulden. Zo was Sanctus schatrijk geworden. Maar hij wilde meer, meer volgelingen en geld, en dan was die slang een waar godsgeschenk. Het was tijd om nog meer zieltjes te winnen en daarbij hoorde een donderpreek. Een preek over hel en verdoemenis en de gezant van de duivel in de gedaante van een slang.

Severijns begaf zich naar de commandotent en kon een vloek niet onderdrukken. Een grote groep demonstranten versperde de weg ter hoogte van het kasteel. Enkelen droegen enorme spandoeken en riepen slogans. Wat hem nog het meest verbaasde, was de kleding van die mensen: de mannen allemaal netjes in een donker pak met wit hemd en zwarte das, de vrouwen in lange zedige rokken die armen en benen bedekten. Bovendien was hun kapsel ook griezelig uniform: de mannen waren kortgeknipt en de vrouwen droegen het haar in een dot, met een wit kapje. Een beetje verder op een podium stond een man in een zwarte cape met rode voering. De man was omringd door lijfwachten en leek op iets te wachten. Severijns liet zijn sirene loeien en reed stapvoets naar het podium.

De man met de cape gunde de politieman die naar hem opkeek niet meer dan een misprijzende blik.

Severijns hield niet van deze situaties. Meestal was hij degene naar wie ze moesten opkijken.

Hij kreeg de tekst van een spandoek in het oog. DE SLANG IS EEN VOORTEKEN VAN DE DUIVEL.

En dan begon de man boven hem de menigte toe te spreken.

De menigte bij het podium zwol zienderogen aan. En opeens waren daar ook de media: radio, tv en kranten.

Severijns moest aan echte gieren denken die uit het niets boven een kadaver verschijnen.

Moest hij ook Ben op de hoogte brengen? De burgemeester had hem uitdrukkelijk opgedragen Ben zoveel mogelijk bij het onderzoek te betrekken. Hij nam zijn mobieltje en belde het nummer van het reptielenhuis.

'Dag, inspecteur, u spreekt met Sam, u weet wel, de assistent.'

'Is Ben er niet?' Severijns wou wel vriendelijk zijn, maar er was nu even geen tijd voor een gezellige babbel.

'Ben heeft een dag vrijaf genomen, inspecteur. Hij is met zijn gezin naar zee. Zijn kinderen zeurden de oren van zijn kop.'

Severijns kon met moeite een vloek onderdrukken.

'Oké, euh... ik red het hier wel.'

Maar zo gemakkelijk kon hij Sam niet afschepen.

'Wat is er, inspecteur, kan ik helpen?'

'Nee, jongen, vriendelijk bedankt. Ik sta hier bij het kasteel naar een gek te luisteren met wie ik mijn handen nog vol zal hebben. Blijf maar bij uw slangen daar.'

Severijns verbrak de verbinding en richtte zijn aandacht weer naar het podium.

Toen de man met de cape de meute journalisten in de gaten kreeg, wachtte hij nog even tot de tv-mensen hun camera's hadden gericht. Dan klonk er plotseling ritmische Braziliaanse muziek door een aantal luidsprekers. De priester maakte enkele danspasjes en zette zijn toehoorders ertoe aan hetzelfde te doen. Na een vijftal minuten gleed de muziek weg.

'Ik ben Joao Sanctus, evangelist van De Kinderen van God,' galmde het.

'En ik zegen mijn volgelingen en mijn goede vrienden van de media. Ik vraag God hen te vergeven omdat ze niet altijd vriendelijk waren voor mijn Kerk en mijn onderdanen.'

Severijns kromp ineen van ergernis. Moest hij die clown daar aanhoren?

'Spreek de waarheid en beschaam de duivel. En ik zál de waarheid spreken! Het was de politie niet gegeven de slang te vinden, want hun taak was niet gezegend door de Heer. Alleen de Heer, die alles ziet, weet waar de gezant van de duivel zich schuilhoudt. Zal Hij Zijn kennis doorgeven aan de ongelovigen onder ons?'

Sanctus zweeg en keek indringend naar de menigte.

Een jonge journaliste stak haar vinger op.

'Aan wie zal Hij het dan doorgeven, eerwaarde?'

'Aan hen die Zijn wegen bewandelen.' En hij probeerde de vrouw te charmeren met zijn alleraardigste glimlach.

Dan schreeuwde er een andere verslaggever.

'Mogen we aannemen dat Hij het u al heeft laten weten?' De man vroeg het met een zweem van ironie en dat was de eerwaarde niet ontgaan.

'Ik aanhoor uw spot,' zei hij met gespeelde emotie. 'De duivel heeft deze man flink in zijn greep, maar hij is omringd door de Kinderen van God en zij zijn niet bevreesd!'

Die laatste woorden hadden een dreigende ondertoon. Severijns hield de journalist in de gaten en zag de vijandige blikken bij de volgelingen van Sanctus.

'Hij heeft mij dit bevolen: laat uw kudde het park ingaan en hun reinheid zal de onreinheid van de slang overwinnen, en ze zullen vinden waar hij zich verbergt en ze zullen hem vernietigen.'

Daar heb je het, dacht Severijns, hij negeert de politie.

De gedachten van de hoofdinspecteur waren nog niet koud of een journalist waagde het twee cruciale vragen af te vuren.

'De autoriteiten hebben het publiek verboden naar de slang te gaan zoeken. Slaat u deze waarschuwing in de wind?'

De evangelist schonk de spreker een medelijdende glimlach, maar de journalist liet zich niet afschepen.

'Ik wil toch nog eens terugkomen op een eerder gestelde vraag. Eerwaarde, zal God u precies aanwijzen waar de slang zich verborgen houdt?'

Sanctus scheen pijnlijk getroffen door de botheid van de vraag.

'Ik hoor in uw vraag de spot en de verachting voor de Heer, meneer. Ik ben echter niet zo onbeschoft als u en zal uw vraag beantwoorden. Ja, Hij zal dat doen en dan bent u de eerste die het mag aanschouwen.'

De journalist ging verder: 'Wanneer zal Hij dat doen? Voordat er weer iemand gebeten is of daarna?'

Severijns voelde de spanning door de massa golven en voelde een tik op zijn schouders. Hij draaide zich geschrokken om en keek naar het bezwete hoofd van Sam.

Die jongeren van tegenwoordig hebben echt geen respect meer voor gezag. Mag hij zomaar zijn dienst verlaten?

Sam lachte wat verlegen. 'Ik heb Bens privénummer gebeld en hij zei me dat we de inspecteur niet in de steek mogen laten. Erik, de andere collega, moet de pas gelegde eieren van een schildpad in het oog houden, dus mocht ik komen. Met dank aan mijn oom die waarschijnlijk een paar snelheidsboetes aan zijn been heeft. Wat is hier gaande?'

Severijns legde hem vlug de situatie uit en voegde eraan toe dat die man daar niets goeds van plan was met de slang.

Sanctus beantwoordde intussen de vraag van de journalist.

'Wanneer Hij de tijd gekomen acht.'

'Uw mensen lopen een groot risico. Stel dat een van hen gebeten wordt.'

'Dan is dat Gods wil.'

Evangelist Joao Sanctus voelde zich duidelijk in het nauw gedreven door deze indringende vragen. Hij draaide zich plotseling om met een theatrale zwaai van zijn cape, waarbij de rode voering zichtbaar werd, en schreed waardig naar de achterkant van het podium.

Een groep van ongeveer dertig volgelingen drong naar de zijkanten van het podium. Severijns' mond viel open toen hij zag hoe een stoet dure zwarte limousines zich een weg baande door de wijkende menigte. Lijkt mij een winstgevend baantje, sekteleider, dacht hij.

Sam kreeg het nog meer benauwd toen hij de gespierde, in het zwart geklede en gezonnebrilde lijfwachten zag uitstappen. Deze slangenjacht begon hysterische proporties aan te nemen.

De limousines draaiden geruisloos de Sterckxshoflei op en passeerden tot op enkele meters van Sam en de inspecteur. Plotseling hield de laatste auto halt en ging het geblindeerde raampje van het achterste portier naar omlaag.

Het hoofd van Sanctus verscheen. Met een brede geforceerde grijns groette hij de politieman en Sam die onder de indruk leek.

'Inspecteur Severijns, is het niet? U hoeft niet zo verbaasd te kijken. Ik ken uw reputatie. Wees gerust, ik leg u geen duimbreed in de weg. Maar wat kunt u uitrichten tegen iemand die het Allerhoogste aan zijn kant heeft?'

Severijns wist even niet wat te zeggen. Iets wat hem zelden overkwam.

'Tot nader order is de Allerhoogste de burgemeester van deze stad, menéér Sanctus. Tenzij uw Allerhoogste daar een schriftelijk bewijs kan van afleveren, zal ik niet dulden dat u de politie hindert in haar onderzoek.'

De valse grijns veranderde in een blik vol haat. Sanctus richtte daarna zijn aandacht naar Sam. Uit een binnenzak haalde hij een foldertje tevoorschijn.

'Hier, jongen, lees dit maar, jij moet dringend weg van valse profeten als die man daar.'

Sam maakte geen aanstalten om het papiertje aan te nemen. De minachting op Sanctus' gezicht werd er alleen maar erger door. Hij gooide het foldertje op de grond en deed het raampje dicht. De limousine schoot met gierende banden vooruit.

'Ik heb het ook allemaal gehoord, Francis. Ik denk dat we er een probleem bij hebben.'

Het was commissaris Vekemans die ongemerkt bij hen was komen staan.

'Ken jij die sekte?'

'Ja, en ik denk dat jij ze ook kent. Ze zitten in die oude bioscoop.'

'Och ja, hun hoofdkerk staat in Brazilië, is het niet? Eigenlijk nooit last mee gehad.'

Severijns slaakte een lange zucht. En Sam begon dit allemaal reuzespannend te vinden.

Hoofdstuk 11

In het hol aan de rand van de oever siste de slang fel toen het licht aan de ingang plotseling verduisterde. Zijn tong bracht hem een sterke geur die hem helemaal niet vreemd voorkwam: muskus. De muskusrat duwde haar brede kop naar binnen. In een fractie van een seconde sloeg de bosmeester toe. De rat trok zich terug en voelde ogenblikkelijk de werking van het gif in de wang. De doodsstrijd duurde nog geen vijf minuten. Een kwartier later zag een wandelaar het kadaver van de muskusrat voorbijdrijven. De bosmeester ging er niet achteraan, hij was niet thuis in het water.

Ben was nog maar eens opgeroepen om mee te zoeken naar de bosmeester. Sam was daar niet erg gelukkig mee. Hij had graag zijn relaas willen doen over de ontmoeting met die gekke sekteleider. Ja, Erik was een toffe collega, maar Ben was een vriend en daar deelde je toch meer persoonlijke dingen mee. En dan was er nog die verrassing die Ben beloofd had.

Sam concentreerde zich dan maar op zijn dagelijkse taak. Af en toe ging hij eens kijken naar de zwarte boomslang.

'Nog altijd even opvliegend, hè, kerel,' mompelde hij. De avond na de confrontatie met die zwarte duivel ging hij aan zijn computer zitten en zocht alles op over *Thrasops jacksoni,* alles wat hij maar kon vinden. Het was verbazend hoeveel mensen deze soort in een terrarium hielden. De volgende dag had hij Ben en Erik overdonderd met zijn kennis.

Hij had hen een vraag gesteld die beide verzorgers enigszins verbaasde.

'Mag ik hem verzorgen tot ik hier weg ben?'

Ben stond er even sprakeloos bij. Het was echt geen giftige slang, maar zijn beet was behoorlijk pijnlijk. Sam was iemand die niet graag zijn zwaktes toonde. Het voorval met de slang liet een bange Sam zien. Die indruk wou hij absoluut wegvegen.

'Oké, Sam, maar jij gaat onder toezicht van mij of van Erik oefenen met de haak en de tang met wat kalmere exemplaren. Binnen een week of zo mag je die zwarte duivel vangen.'

Sam glunderde, maar toen hij de flitsende bewegingen zag van de boomslang, kon hij een rilling amper onderdrukken.

Op de snikhete zolderkamer stond het dakvenster open. Maar verfrissing bracht dat niet. De benauwende warmte mengde zich met de geur van sigarettenrook en ongewassen beddenlakens. Geert en Liesbeth hielden huisdieren die eerder ongewoon waren. Geert had een vogelspin en Liesbeth een groene leguaan. De beestjes kropen voor het grootste gedeelte van de dag vrij rond.

Hij moest die slang hebben. Een vriend van hem had een reusachtige python. In hun kringen van zware motoren, heavy metal en gothic was een bizar huisdier heel gewoon. De hele historie met de ontsnapte slang in het park was aan hen voorbijgegaan. Ze waren naar een groot rockfestival in Engeland geweest en daar blijven hangen bij andere fans op de camping. Toen ze thuiskwamen, hoorden ze over de bosmeester van een vriend die hun planten en dieren had verzorgd.

Hij keek naar de gevorkte stok tegen de wand. Waarom toch al die drukte, dacht hij. Je klemt de vork achter de kop van het beest tegen de grond, je grijpt hem bij de nek en hup, de zak in.

'Hoe laat gaat de zon onder, Lies?'

'Zo rond kwart voor tien, geloof ik.'

'Ben je er klaar voor?'

Liesbeth knikte zonder al te veel enthousiasme. Een leguaan en een vogelspin vond ze al 'cool' genoeg, maar een gifslang... Ze stond op en liep naar het terrarium.

'Je weet toch zeker dat dit slot stevig en veilig is?'

Geert glimlachte flauw. 'Natuurlijk, alles is in orde.'

Liesbeth pakte de leguaan van de vloer en stopte hem in zijn bak. Ondanks de hitte kon ze een huivering niet onderdrukken.

Een zoveelste zoektocht van de politie had weer niets opgeleverd. Ben had het hele moerasgebied aan de andere kant van het theater uitgekamd. Niets. De hitte had hem behoorlijk uitgeput.

Was het omdat vele agenten hun taak niet meer zo nauwgezet namen? De drukkende hitte, zelfs onder de bomen, verslapte hun waakzaamheid. Severijns besloot om de volgende dagen het aantal manschappen te halveren. De slang leek wel van de aardbodem verdwenen, misschien was hij al lang dood.

De burgemeester gaf toelating om het park opnieuw helemaal te betreden, maar maande iedereen aan waakzaam te blijven. De dagjesmensen trokken massaal naar de vijvers waarin ze bij wijze van uitzondering mochten zwemmen.

Tegen zonsondergang wandelden Geert en Liesbeth het park binnen. Er was nog steeds veel volk op pad. Zo'n duizend mensen zaten in het openluchttheater te genieten van dEUS en de anderen bevolkten het terras van het kasteel. Alhoewel het warm was droegen hij en Liesbeth een lange zwarte jas. De stok gebruikte hij als wandelstok, de vork had hij er afgeschroefd en in zijn jaszak gestopt. Over Liesbeths schouder hing een oude reistas met ritssluiting.

Ze gingen op een bank in de buurt van het theater zitten en wachtten nog een uur tot het helemaal donker was. Toen de laatste concertgangers weg waren, stond Geert op en wenkte Liesbeth om hem te volgen. Ze hield zich stoer, maar eigenlijk zat ze nu liever tussen de mensen op het felverlichte terras. Zij stapten resoluut naar de ingang van het theater en daar begon hun zoektocht. Hij hield de vork in zijn jaszak, kwestie van geen argwaan te wekken bij een ontmoeting met een parkwachter. De websites van de kranten hadden hem verteld waar ongeveer de slachtoffers van de slang gevallen waren.

De bosmeester voelde de hevige trillingen. Gevaar. De tong flitste aanhoudend in en uit de opening tussen zijn kaken. Dit was nu wel erg

dichtbij. Bij andere gelegenheden verzwakten de trillingen al na enkele
seconden, maar nu leken ze wel van alle kanten te komen. De slang
schoot uit zijn schuilplaats, hevig ratelend met de losse schubben van
zijn staart, en nog nooit had de fluittoon sinds zijn verblijf in het
park zo hard geklonken.

Liesbeth bleef als bevroren staan toen ze het gefluit hoorde. Enkele meters voor haar hurkte Geert. Tegenover hem zag ze de slang, de langste en soepelste die ze ooit had gezien. Zijn kop stond opgericht en zijn bek was half opengesperd. Pas toen drong het gefluit helemaal tot haar door.

Ze slaakte een kreet en besefte op dat moment dat ze precies reageerde zoals andere dieren tijdens zo'n confrontatie. Ze voelde een bijna onweerstaanbare drang om zich om te draaien en weg te lopen. Maar ze mocht Geert niet in de steek laten. De slang boezemde afkeer in, maar er was iets opwindends in de manier waarop haar vriend hem trotseerde.

Hij bewoog de gevorkte stok naar de slang toe en fluisterde zachtjes: 'Komaan, beestje, jij bent van mij.'

De houding van de bosmeester werd nu echt onheilspellend dreigend. Plotseling hield het gefluit en geratel op. En net toen Liesbeth Geert iets wou toeroepen, gebeurde het.

Geert bracht de stok voorzichtig vlakbij de kop van de slang. Een gil. Liesbeth sloot bevend van angst haar ogen en hoorde de ontzette stem van Geert.

'De smeerlap vloog tegen de stok op en beet me!'

Ze deed haar ogen open. Hij hield met zijn linkerhand zijn rechterpols omklemd en zag er verhit uit. 'O, mijn

God!' zei ze bijna snikkend.

'Niets aan de hand,' probeerde Geert zichzelf te sussen. 'Hij is weg. De rotzak is weggekropen.'

Hij liet zijn pols los en ze zag enkele druppeltjes bloed.

'O, Geert, dit is niet goed, je moet naar een ziekenhuis!'

Hij trok zijn broekriem uit, bond hem om zijn arm en haalde hem strak aan.

'Rustig blijven, ik moet kalm blijven,' zei hij almaar door.

Achter hen klonk een nijdige stem. Uit de duisternis dook een gestalte op. De nachtwaker van het park knipte een lamp aan die hen verblindde.

Liesbeth had in de wachtkamer het gezelschap van een bejaard koppel dat haar vol misprijzen aanstaarde. Iemand die eruitzag als Liesbeth verdiende in hun ogen geen sikkepit medelijden.

Maar ze lette er niet op. Ze dacht aan haar vriend die er slecht aan toe was, toen ze hem de dienst Spoed binnenreden.

Het duurde niet lang voor een dokter en een verpleegster Liesbeth het droevige nieuws kwamen melden. Het antidotum was hem toegediend, maar het gif had al te veel schade aangericht aan zijn ingewanden.

Liesbeth begon hysterisch te huilen. De verpleegster nam het meisje in haar armen, en zocht naar troostende woorden. Het oude koppel wendde gegeneerd het hoofd af.

De volgende dag pakten alle kranten uit met vette koppen over de derde dodelijke slangenbeet. Eén kop las sensationeel:

SLANG – MENSEN: DRIE – NUL

Hoofdstuk 12

Hij gaapte en zijn vier centimeter lange giftanden klapten uit het ver-
hemelte. De gifklieren stonden op barsten, maar zijn jachtinstinct leek
wel verdoofd.

Even over negen raasde een colonne politieauto's naar de
twee hoofdingangen van het Rivierenhof. Alle vroege wandelaars, sporters en zonnebaders zouden zonder pardon
het domein worden uitgezet. Het park moest dicht. De risico's waren ook voor de burgemeester te groot geworden.

Hoofdinspecteur Severijns moest nu dringend resultaat
halen of Vekemans zou hem van de zaak halen. Het woord
'schorsing' viel net niet, maar de boodschap was duidelijk:
Severijns moest binnen de drie dagen de slang hebben.

De ontmoeting met Sanctus had indruk gemaakt op
Sam. 's Avonds in bed had hij erover liggen piekeren. Zijn
verstand zei hem dat hij bij zijn job moest blijven, maar die
Sanctus liet hem niet los. Die man wou de slang dood, dat
wist hij zeker, en met die gedachte kon Sam niet leven. De
politie had tot op heden geen enkel resultaat gehaald en
veronderstel, dacht hij, dat die kerel wél het beest te pakken

kreeg. En toen wist hij het zeker: hij moest proberen die Sanctus in de gaten te houden.

De volgende dag ging Sam tijdens de middagpauze een kijkje nemen bij de oude bioscoop waar De Kinderen van God gevestigd waren. Hij moest daarvoor niet ver wandelen, want het gebouw lag net om de hoek op enkele stappen van het Astridplein. Algauw moest hij vaststellen dat het niet gemakkelijk zou zijn om zijn taak als oppasser met die van detective te combineren. Hij had zó uitgekeken naar die job en Ben en ook zijn ouders zouden raar opkijken wanneer hij plotseling geen interesse meer zou betonen. Terwijl hij stond na te denken, liep er zo'n gespierde lijfwacht binnen en buiten. Maar Sanctus liet zich niet zien.

Sam besefte niet dat er iemand aan de overkant van de straat met meer dan gewone aandacht op hem lette.

De volgende dag meldde Sam zich ziek. Al vroeg in de morgen begon hij veelvuldig toiletbezoek te veinzen. Hij diste zijn ouders een smoes op over een ijsje dat hem slecht was bekomen. Even later belde hij Ben. Het zadelde hem wel met een enorm schuldgevoel op. Hij had zoiets nog nooit gedaan. Maar hier hebben we een geval van 'nood breekt wet', hield hij zich voor. Maar hij deed het toch ook voor Ben. Die bosmeester mocht niet dood en dat wou Ben ook niet.

Ongeduldig keek hij naar zijn ouders die weer een fietsdagtrip hadden gepland. Dat ze maar voortmaken, dacht hij. Zijn vader was ook zo'n Pietje Precies die elke tas en zak tweemaal moest nakijken.

Zo rond negen uur wuifde hij zijn ouders uit, die hem

nog eens op het hart drukten dat hij veel slappe thee met kruiden moest drinken. Ze waren nog maar net de hoek om of Sam sprong op zijn fiets en reed tegen hoog tempo naar de tempel van De Kinderen van God.

Bezweet arriveerde hij er twintig minuten later. Hij plaatste zijn fiets tegen een onbewoond pand aan de overkant van de oude bioscoop en kuierde heen en weer. Hij hoopte dat Sanctus zich snel zou laten zien, want het drong nu pas tot hem door dat dit wel eens een verloren dag kon zijn. Geduld opbrengen voor zaken buiten de dierenwereld, daar had hij het knap lastig mee.

Na een halfuur keek hij al op zijn horloge, zijn maag begon te knorren. Vergeten te ontbijten, sakkerde hij binnensmonds. Maar Sam had geluk. Er stopte een auto voor de tempel. Geen limousine, maar een onopvallende Opel. Er stapte zo'n lijfwacht uit die zich naar binnen haastte. Even later stond de man weer buiten, vergezeld van… Sanctus.

Sam sprong op zijn fiets en hoopte dat de chauffeur zich aan de snelheidsbeperking binnen de stad hield. Weer een meevaller: de auto reed tegen een gezapig tempo in de richting van de Grote Markt. Sam hield hem van op veilige afstand in het vizier. In de Korte Nieuwstraat draaide de auto linksaf, de Sudermanstraat in. Toen Sam aan de hoek van die straat kwam, zag hij Sanctus uitstappen, alweer in het zwart gekleed en met zonnebril. De man keek om zich heen.

Niet normaal, dacht Sam, toen hij Sanctus naar een portaal zag stappen. De lijfwacht bleef in de auto zitten. Zijn hart klopte sneller en sneller toen Sam de straat in fietste en onschuldig om zich heen keek. Toen hij bijna op de hoogte van de Opel was, ging het portier open. Sams hart zat in zijn keel. Maar de lijfwacht stak gewoon een sigaret op. Aan het andere eind van de straat reed Sam het trottoir op en kneep zijn remmen dicht. Even moest hij naar adem happen.

Verdorie, dat kon hier slecht aflopen, dacht hij.

Te laat hoorde hij de voetstappen van de man achter hem. Een hand kneep in zijn schouder en Sam onderdrukte met moeite een gil.

'Waar ben jij mee bezig, jongen?' Hij draaide zich met een ruk om en zag de strenge blik van inspecteur Severijns.

'Zou je het politiewerk aan mij willen overlaten, ja? Daar staan straffen op, wist je dat, politiemannen hinderen in hun werk.'

Sam kon geen woord uitbrengen. Nog maar net bekomen van de schok of hij werd bevangen door schaamte en schuldgevoel. Zijn onderzoek was al na een uur in de kiem gesmoord.

'Kom, ik doe alsof er niets gebeurd is en maak dat je in de Zoo zit.'

'Inspecteur, kan je mij beloven dat je Ben die slang levend laat vangen?'

Severijns keek de jongen met een meewarige blik aan.

'Dát zit je dus dwars. Je wil niet dat Sanctus de slang gaat doden. Wel, Sam, ik kan je niets beloven, maar ik ben er zeker van dat Ben dat niet zal laten gebeuren. En nu, ingerukt!'

Sam nam wat bedremmeld en excuses mompelend afscheid. Hij keek nog eens over zijn schouder en zag dat de inspecteur zijn blik richtte op het portaal waar Sanctus was binnengestapt.

Severijns besloot wat verder de straat in te lopen en verschool zich achter een fout geparkeerde bestelwagen, op een meter of tien van het huis. De lijfwacht stond nog altijd bij de auto, zijn armen rustend op het dak. Plotseling zag hij de man naar zijn mobieltje grijpen. De man hield het enkele seconden aan zijn oor, sprong in de auto en reed weg.

Goed, dacht Severijns, nu is het in ieder geval één tegen één.

Hij wilde niet op de eerste de beste roekeloze daad worden betrapt. De kans was ten slotte gering dat het bezoek van Sanctus aan dat huis van belang was voor de zaak. Na tien minuten begon Severijns zich al verschrikkelijk te vervelen. Hij dacht terug aan de jaren dat hij als jonge politieman vaak uren aan een stuk op een of andere locatie de wacht moest houden. Op een keer was hij op het verkeerde moment ingedommeld. Een verdachte was er ongemerkt vandoor kunnen gaan en had onderweg een zwaar ongeluk veroorzaakt. Er vielen drie gewonden. Maar gelukkig voor Severijns kwamen zij er zonder blijvend letsel vanaf.

Zijn toenmalige chef vergaf hem zijn slecht getimed hazenslaapje omdat hij aanvoelde dat het jonge agentje talent had.

Maar dat leek vandaag even niet meer te tellen. Waarop stond hij eigenlijk te wachten? Plotseling drong het tot hem door dat hij drijfnat was van het zweet. Die pokkenhitte begon ook op zijn gemoed te werken. Even wenste hij dat hij ergens op IJsland zat. Met de onaangetaste schoonheid van een kaal Arctisch landschap als enige gezel.

Een ijselijke gil wiste dat idyllische beeld uit zijn hersenen. Severijns twijfelde geen ogenblik: het geluid kwam uit het huis dat hij in de gaten hield. Uit de keel van een vrouw.

Hoofdstuk 13

Bij de bosmeester verdween de drang om op jacht te gaan geleidelijk. De slang bleef wel waakzaam wanneer er beweging was in de buurt van het hol. Maar hij bleef in zijn schuilplaats, want zijn lichaam verkeerde in een toestand die jacht en snel toeslaan onmogelijk maakte...

Ben Van Dijck had telefoon gekregen van de burgemeester. Die wilde hem vanmiddag nog eens onder vier ogen spreken. Het was volkomen duidelijk dat hij op de herpetoloog rekende om liefst binnen 24 uur met de bosmeester af te rekenen.

Ben was blij verrast toen hij Sam toch nog zag opdagen.

'Dat is ook een vlugge genezing, zeg.'

'Slappe thee met kruiden, Ben,' voegde Sam er achteloos aan toe.

Sam was met Ben op weg naar het reptielenverblijf in de dierentuin toen een andere jongen hem riep. Het was Nick, een schoolkameraad. Omdat die ook niet meer in zijn buurt woonde, had Sam hem al bijna een jaar niet meer gezien.

'Kun je me nog een paar minuten missen, Ben?'

'Tuurlijk, ik zie je zo.'

Nick was zowat de tegenpool van Sam: nogal zwaarge-bouwd, zwart piekhaar en fanatiek skater en gamer. Niet meteen de grote passies van Sam, maar de twee jongens konden toch goed met elkaar opschieten. Sam was altijd wat jaloers geweest op Nicks zelfvertrouwen: een voordeel dat de puber ook uitspeelde tegenover de meisjes. Toch deelden ze ten minste één interesse: reptielen, meer bepaald kameleons. Nick had thuis enkele prachtexemplaren.

'Hé, die Nick! Kom je nog eens kijken naar onze kame-leons?'

'Ja, ik ben een nieuw verblijf aan het inrichten en kom wat ideetjes opdoen. En het is uit met mijn lief. Ze vond dat ik meer om mijn beesten gaf dan om haar.'

'Hé, dat is jammer...'

'Och, man, zwijg erover, vrouwen...'

Britt was een prachtmeid. Sam begreep niet dat zijn vriend er zo licht over deed. Was híj maar zo vlot met de meisjes.

'Zeg, hoe ging het op school?' vroeg Sam.

'Wat dacht je? Twee herexamens, voor Frans en biologie.'

'Biologie, Nick? Hoe is dat mogelijk?'

'Te veel ruziegemaakt met de 'Krokodil', zoals we hem noemden. Een black-out op mijn mondeling examen. De rotzak zag zijn kans om me te pakken.'

'Over reptielen gesproken. Weet je dat ik hier een vakantiebaantje heb versierd?'

Sam wandelde een eind mee met Nick en vertelde hem

honderduit over zijn spannende tijd in de dierentuin. En natuurlijk over de bosmeester in het Rivierenhof.

'Ik heb over die slang gelezen,' zei Nick. 'Er zijn al mensen gestorven, hè? Wreed. Ik vind dat anders ook wel geweldige beesten.'

'Zeg, ga even mee naar het reptielenhuis. Ben, mijn baas, is een schitterende kerel.'

Onderweg trok Nick gekke bekken naar de berggeiten. Sam kon erom lachen. Zijn vriend was het afgelopen jaar geen spat veranderd.

De jongens waren net door de glazen schuifdeur binnengegaan toen ze de stem van Ben hoorden. Ongewoon gejaagd, duidelijk ongerust. Na de bocht van het wandelpad troffen ze de hoofdverzorger druk gebarend aan, zijn mobieltje aan het linkeroor.

'... Ja, meneer Neels, zal ik doen. Onmiddellijk. Ik hou u op de hoogte.'

Ben klikte zijn gsm dicht. In zijn ogen blonken tranen. Een seconde lang vroeg hij zich af wat hij tegen de twee tieners moest zeggen na zijn gesprek met de directeur van de dierentuin.

'Is er iets?' vroeg Sam.

'Ik ben bang van wel.' Ben sprak de woorden met nadruk uit. 'Ik heb je al weken een verrassing beloofd. Kom mee, ik had ze je wel in andere omstandigheden willen tonen.'

De twee jongens volgden Ben doorheen de smalle dienstgang. Aan het einde links stond een deur op een kier. Sam had voordien nooit aandacht geschonken aan die deur.

Een walm van vochtige warmte kwam hen tegemoet. Er hing ook een zweem van rottigheid in de lucht. Regenwoud.

'Dit is mijn paradijs, jongens,' zei Ben.

Het hele kamertje was volgepropt met kleine terraria waarin zich tropische beplanting bevond. Doorheen alle verblijven liep een sproeisysteem dat om het kwartier in werking trad. Op het eerste gezicht viel er niks levends te bespeuren. Van enkele bakken was het glas stukgeslagen.

'Kijk maar goed, hier zitten mijn juweeltjes.'

Sam en Nick knepen hun ogen tot spleetjes om toch maar iets op te vangen van wat er bewoog.

'Ja, daar een blauwe, en daar een gele…'

'Pijlgifkikkers,' zei Ben met een droevige stem, 'en de mooiste hebben ze gestolen, de zeldzame Panamese gouden kikker.'

De twee jongens staarden ontdaan naar Ben die zijn tranen met moeite verbeet.

'Heb jij hier gisteren onbekenden zien rondlopen, Sam?'

Sam hoefde niet lang na te denken.

'Er was weer begeleid bezoek achter de schermen, ma…

'Ik ga direct naar het gidsenlokaal. Die gids is mij uitleg verschuldigd. Oh ja, ik heb die inspecteur Severijns gebeld. De man moet dringend voor resultaten zorgen of ze halen hem van de zaak. Hij komt in ieder geval.'

Sam en Nick stonden er wat verbouwereerd bij.

Nu dat weer, dacht Sam. Die job in de Zoo was al allesbehalve saai geweest. Hij hield zijn mond over zijn mislukt schaduwavontuur.

Nick keek op zijn horloge.

'Ik zou je graag helpen, Sam, maar ik moet weg. Morgen vertrekken we met vakantie naar de Provence en ik moet nog van alles in orde brengen.'

'Ga maar, Nick, het is hier elke dag wat. Ga jij maar relaxen tussen de olijfbomen.'

Nick verontschuldigde zich nogmaals en verliet schoorvoetend het warme vertrek.

Hoofdinspecteur Severijns ging af op zijn intuïtie. Hij verwachtte ieder moment dat de voordeur van het huis zou openvliegen. Maar dat gebeurde niet. Hij kreeg wel telefoon van een emotionele Ben, die een diefstal meldde van twee kostbare pijlgifkikkers. Ook dat nog. Hij beloofde zo snel mogelijk te komen, maar nu was Sanctus prioriteit. Die liet zich echter niet zien. Er restte hem slechts één oplossing: hij moest die woning in. De gil was er één geweest van een vrouw in doodsangst. Had ze Sanctus niet willen geven wat hij wou? Moest zij een of andere straf ondergaan? Severijns had er het raden naar.

De politieman stak de straat over en duwde even tegen de deur van de woning. Tot zijn verbazing bleek die niet goed gesloten. Hij besloot het erop te wagen. Als die deur maar niet kraakte of piepte! Dat viel mee, gelukkig... Hij keek een gang in met een steile trap. Behoedzaam ging hij naar binnen. Zijn neus vulde zich met een duffe vochtgeur. Schuin rechts lag de voorkamer van het huis. Een uitgerafelde stoel, een stofzuiger, enkele buitenlandse tijdschriften op een houten tafel. Dat was alles wat Severijns in een oogopslag opviel. Menselijke aanwezigheid? Onwaarschijnlijk. Nou, verder dan maar. De rechercheur was zó gespannen dat hij dacht dat zelfs zijn ademhaling hem kon verraden. Hij liet de trap links liggen. Naar de keuken? In dit soort herenhuizen moest die achteraan liggen. Aan het eind van de gang stond een deur op een kier. Severijns verwenste zichzelf in gedachten: eigenlijk moest hij om versterking vragen. Terugkeren? Nee, misschien heeft hier iemand hulp nodig.

De stilte werd verscheurd door het geluid van brekend glas.

In de keuken lag het levenloze lichaam van een vrouw. Een zuiders type en zeer waarschijnlijk de vrouw die Sanctus daarstraks had binnengelaten. Maar haar gelaatskleur was totaal anders nu: lijkbleek. Severijns voelde haar pols. Niets. Geen adem.

In een reflex keek Severijns de kamer rond. Er was verder niemand. De politieman hurkte neer bij de vrouw. Naast haar lagen scherven. Ze had wellicht nog geprobeerd om zich aan de keukentafel op te trekken en had daarbij een glas omgestoten.

Severijns onderzocht haar nu nauwkeuriger. Toen viel zijn blik op een minuscuul zwart puntje in haar hals, alsof er met een zeer fijn naaldje was geprikt. Vreemd, zo'n snelle dood, nergens een kogelinslag…

Hij nam zijn mobieltje en wou zijn collega's bellen, maar na de eerste toets voelde hij hoe zijn schedel kraakte onder een zwaar voorwerp. Alles werd zwart.

Hoofdstuk 14

Joao Sanctus voelde zich onoverwinnelijk in zijn schuilplaats. Anna was dood. Een afvallige betekende alleen maar
problemen. Het enige waar zo'n miserabele op kickt, is sensatie. Politie en belastinginspecteurs kon hij missen als kies-
pijn. Glimlachend keek hij naar de twee gouden kikkertjes.
Joao had schitterend werk geleverd. Eerst onopvallend aan-
sluiten bij die groep toeristen in de Zoo, zich verstoppen in
het reptielenhuis en dan zijn slag slaan. Alleen jammer dat
hij er niet meer had meegenomen. Junin was een Jivaro-
indiaan die zich bekeerd had tot De Kinderen van God. Hij
wist alles over *curare,* het gif dat de kikkers omhult. Oh ja,
hij had vroeger al een paar afvalligen moeten uitschakelen
en enkelen keken wat al te begerig naar zijn verworven rijkdom. Met hen had hij snel en geruisloos korte metten
gemaakt. In een aantal gevallen was het gif ontdekt, maar
niemand kon het in verband brengen met hem. Ook voor
Anna was het een snel en pijnloos einde geweest..

De gids kon zich aanvankelijk niks vreemds herinneren, maar
dan schoot hem te binnen dat er tijdens de wandeling een
man met indiaanse gelaatstrekken de groep vervoegd had.

Normaal is zoiets niet toegelaten want voor zo'n rondleiding moet je op voorhand boeken. Omdat de man zo vriendelijk en behulpzaam was voor de oude dametjes liet hij begaan. Even stond Ben wat besluiteloos voor zich uit te staren.

'Indiaan, zei je?'

'Ja, Peruviaans, Colombiaans, van die landen.'

Bens brein werkte razendsnel. Zuid-Amerikaans, kikkers, ja, dit kon geen toeval zijn.

Hij belde Severijns, maar die nam niet op. Ben liep dan maar naar de portiersloge van de Zoo. De tapes van de bewakingscamera aan de ingang, die moest hij hebben.

Francis Severijns kwam tot bewustzijn. Op het moment dat hij zijn ogen opende, scheurde de pijn door zijn hoofd. Alles tolde om hem heen, alsof hij in een centrifuge lag. Hij moest braken.

De rauwe realiteit drong tot Severijns door. Hij moest hier weg. Na twee pogingen lukte het hem om zich op een stoel te hijsen, al voelde hij zich vreselijk draaierig. Hij monsterde de omgeving, maar niets was veranderd.

Twee minuten en een groot aantal wankele stappen verder, stond de rechercheur buiten. Straks denken de mensen nog dat ik dronken ben, dacht hij. Eindelijk kon hij die verzorger in de dierentuin bellen. Hij vertelde hem wat hem overkomen was en Ben gaf wat meer informatie over de gestolen pijlgifkikkers. Maar de pijn bleef door Severijns' hoofd razen.

Gifpijl, Sanctus, Brazilië, gif... gif. Zijn brein probeerde verbanden te leggen, maar de pijn hamerde elke gedachtegang genadeloos uit elkaar.

Uiteindelijk zakte Severijns in elkaar onder de verbaasde blikken van enkele voorbijgangers.

Geen halfuur later lag hij onder de scanner. De neuroloog met weekenddienst was snel klaar met zijn diagnose: een vrij zware hersenschudding. Een week volledige rust in een verduisterde kamer kon wonderen doen. Severijns zou wel enkele dagen in het ziekenhuis worden opgenomen. Dan konden de dokters ingrijpen bij complicaties.

De politie doorzocht intussen het huis in de Sudermanstraat. De dode vrouw heette Maria Anna Soares, 42, van Portugese afkomst. Guido De Keyser achterhaalde vrij snel haar doodsoorzaak: curare. Waarschijnlijk met een injectienaald of pijltje toegediend. Tegen Joao Sanctus werd een arrestatiebevel uitgevaardigd.

In de dierentuin probeerde Ben de situatie in te schatten. Gisteren was hij al met de Pilstromtang in aanslag op verkenning geweest in het park. Twee agenten waren hem gevolgd en hadden op zijn vingers staan kijken. Toen hij zei dat hij het wel alleen afkon, antwoordde één van hen: 'Orders, meneer.' De bosmeester liet zich niet zien. Ja, Severijns liet niets aan het toeval over. Anderzijds had het afsluiten van het hele Rivierenhof ook wel een voordeel. De slang zou minder worden gestoord. Net daardoor was de kans groter dat het reptiel zich volgens zijn natuurlijke dagnachtritme ging gedragen. Het eerste uur na zonsopgang zou de slang een warme plek opzoeken. Het beste moment om hem te vangen. Hoe minder mensen daarbij aanwezig waren, hoe beter. Ben hoopte dat de politie en de burgemeester hem alle bewegingsvrijheid zouden geven.

De thermometer wees 35 graden aan toen de politie met veel machtsvertoon binnenviel in de oude bioscoop in de Carnotstraat. Maar de sekte van Sanctus leek in rook opgegaan. En de twee verwilderde katten die de agenten er aantroffen, konden ook niets vertellen. Was de bende hals-over-kop gevlucht? Waarschijnlijk. Etensresten of pas beslapen beddenmatrassen waren nergens te zien. Het enige wat dienstdoende speurder Guy Gilleir opviel, waren de vier kruisen met een lijdende Christusfiguur in de vroegere projectiekamer van de bioscoop. De speurders zochten in de omgeving naar de grote zwarte limousines waarmee Sanctus grote sier maakte. Geen spoor.

Severijns vaardigde een nationaal en internationaal opsporingsbericht uit. Helikopters werden ingezet en aan de grensovergangen hield de politie nauwgezet controle.

In de late namiddag vond een politiepatrouille de zes zwarte wagens op een parking langs de E 40 naar de kust. Leeg.

Sanctus' gezicht vertoonde een brede grijns, toen hij het nieuws over zijn verdwijning en zijn sekteleden volgde op een aftands tv-toestelletje in het zolderkamertje niet ver van het Rivierenhofpark. Overal had hij wel een trouwe volgeling op wie hij kon rekenen als hij weer eens moest onderduiken. Ja, die politieman had bijna roet in het eten gegooid toen hij afrekende met Anna. Voor wanneer het hem te warm onder de voeten werd, had hij altijd een scenario klaar. Zijn discipelen wisten perfect wat hen te doen stond: de wagens ergens dumpen en zich individueel verplaatsen naar een volgende bestemming. Het was allemaal weer eens volgens plan verlopen. Hij had hier echter nog een taak. Daarvoor rekende hij op zijn mannetje dat hem op de hoogte hield van de gebeurtenissen in het park. Over zijn leiderschap en zijn rijkdom werd er meer en meer gemord in sommige afdelingen in de wereld. Daarom was het hoog tijd om een daad te stellen die zijn aanzien zou versterken. Hij moest die slang vangen en doden. En dat zou gauw gebeuren.

Hoofdstuk 15

De eieren gulpten uit haar cloaca. Achttien stuks. De bosmeester was een wijfje, bevrucht in het Zuid-Amerikaanse regenwoud. Met het laatste ei vloeide ook alle energie uit haar lichaam. Het zou bijna vierentwintig uur duren voor ze weer een teken van leven gaf.

Ben besloot nog één keer op zoek te gaan naar de bosmeester. Hij had carte blanche gekregen van de burgemeester en hij moest geen verantwoording voor zijn daden meer afleggen aan de politie. Maar Ben werd het stilaan beu. Hij was nodig in de Zoo en hij werkte graag met Sam. Telkens wanneer hij erop uittrok, zag hij de ontgoocheling in de ogen van de jongen. Die ochtend was het niet anders. Ben werd echter misleid door een schitterend stukje toneel van Sam.

'Ik moet naar het toilet, Ben.' En aan Sams gezicht zag Ben dat het dringend was. 'Weer diarree, Sam?' zei hij spottend.
   Hij spurtte via de dienstvertrekken naar beneden. Daar aan de achterkant van de dierentuin stonden de bestelwagens van de dierentuin. Sam wist welke auto Ben altijd

bestuurde: die kleefde vol met reptielenstickers. Hij opende het portier achteraan en kroop in de laadruimte.

'Waar zit die Sam nou?' vroeg Ben zich af. 'Ik kan niet wachten, Erik. Ik had er al moeten zijn. Jij weet wat er te doen staat?'

'Maak je geen zorgen. We kunnen al aardig onze plan trekken zonder jou,' zei Erik met een knipoog.

Er ging meer dan een kwartier voorbij en pas dan besefte Erik dat Sam nog altijd niet van het toilet was teruggekeerd.

Rond tien uur die ochtend stopte een witte bestelwagen met het logo van de dierentuin voor de politiepost bij de hoofdingang van het Rivierenhof. Ben stak zijn wakkere kop door het halfgeopende raampje.

'Goeiemorgen, heren. Als alles meezit, zijn jullie op de hoogte van mijn komst.' Aan een agent die de slaap uit zijn ogen wreef, gaf hij een paar papieren.

De afspraak was dat Ben nog verder reed tot aan het kasteel in het domein, daar een breed pad naast de grote vijver zou nemen en op de volgende kruising van paden zou stoppen. Dan zou hij te voet verdergaan.

Toen hij er uitstapte, keek hij even rond. Hij voelde de adrenaline in elke vezel van zijn lichaam. De wekenlange droogte had alle energie uit de bladeren geperst. Ze hingen er futloos bij. Van enige koelte was niets te voelen. Vanuit het zuiden kwam bewolking opzetten. Zou het dan toch gaan regenen?

Vandaag moest het gebeuren. Het was voor Ben zelfs een beetje een situatie van nu of nooit. De hysterie over de bosmeester had zo'n vorm aangenomen dat hij niet mocht mislukken. Nog een geluk dat die affaire met de kikkers voorlopig niet in de media was gekomen. Ben mocht er niet aan denken welke sensationele berichten hierover de wereld zouden worden ingestuurd. De directie van de dierentuin hoefde gelukkig niet tot sluiting over te gaan.

Ben liep naar de achterkant van de bestelauto om er zijn 'slangenvangersspullen' uit te halen.

Sam had zich al heel die tijd afgevraagd waarom hij niet gewoon in de dierentuin was gebleven. Met de seconde voelde hij zich meer benauwd, alsof iemand hem een levensreddende zuurstofslang uit de mond had getrokken. Zijn armen en benen voelden steeds strammer aan, zijn nek deed pijn. En echt lekker rook het ook al niet waar hij lag. Toen het schudden en schokken ophield, concentreerde hij zich op wat moest komen: Ben zou de deur openen. Sam maakte zich nog kleiner achter de houten krat.

Ben begon nog maar eens aan een grondig onderzoek van het gebied rond het theater. Hij baseerde zich daarvoor op de plaats waar de politie het laatste slachtoffer had aangetroffen. Maar hij mocht nu vooral niet te gehaast handelen. Om zijn nek hing een krachtige verrekijker. Hij moest een paar plekken kunnen kiezen die hem een goed uitzicht boden op de omgeving.

Zo meteen zou de zon in het zenit staan. Ben hoopte vurig dat de warme gloed de gifslang uit haar schuilplaats zou lokken.

Haar overlevingsinstinct dwong de bosmeester om haar schuilplaats aan de rand van de vijver te verlaten. De eerste zonnestralen in de buurt van haar nest vielen op een strook met kiezelstenen, een paar meter verwijderd van het struikgewas. De slang gleed er langzaam naartoe om zoveel mogelijk energie te besparen. Wie het geluk had om op een veilige afstand toe te mogen kijken, kon genieten van het prachtige effect van de oranjeroze schubben in het verstrooide zonlicht.

Ben pakte zijn Pilstromtang opnieuw vast en controleerde nog een laatste keer het grijpmechanisme.

Er dook nog een spelbreker op: Ben keek zorgelijk naar de opbollende bloemkoolwolken in het zuiden. De eerste lichtflits leek nog van achter mat glas te komen, maar een onweer zou de slang snel naar haar nest jagen.

De herpetoloog liep terug, aan zijn linkerzijde had hij nog een aantal rododendronstruiken gezien. Het kon geen kwaad om het vrij dichtbegroeide stuk park daarachter te inspecteren.

Toen hij even later door zijn verrekijker een massieve, driehoekige kop zag, moest hij moeite doen om zijn bewondering niet uit te schreeuwen.

Sam haalde diep adem. De buitenlucht verloste hem van

zijn zuurstoftekort. Dat hij af en toe stekende pijn had in zijn rechterknie, nam hij er maar bij. Op het moment dat Ben zich van de bestelauto verwijderde, had Sam heel voorzichtig de twee achterdeuren van binnenuit kunnen openen.

Voorlopig was zijn grootste probleem dat hij onzichtbaar en onhoorbaar moest blijven. Ook voor de politie. Bij elke stap die hij zette, kon hij worden ontdekt.

Dat Ben met de ogen dicht een slang weerloos kon maken, was misschien overdreven. Maar als het op handigheid en koelbloedigheid aankwam, zat je bij de juiste man. Ook met gifslangen van vier meter.

Toch voelde de dierenoppasser zich vandaag ongewoon zenuwachtig. Wat als hij mislukte? Of gebeten werd? Hij had een tegengif op zak, ja, maar dat moest wel snel worden toegediend.

Ben naderde de bosmeester centimeter na centimeter. Die bewoog niet, al wees de lange tong die af en toe uit de bek schoot, wel op waakzaamheid.

Nog vier meter, nog drie… Er schoof een wolk voor de zon. Seconden later leek er een siddering door het soepele slangenlijf te trekken. De kop ging langzaam omhoog. Ben bevroor. Hij stond nu oog in oog met de slang. Wat hij verwachtte, gebeurde ook: de bosmeester begon te fluiten. Alsof ze een leger het bevel gaf tot de aanval over te gaan. Ben wist dat hij het beest te vlug af kon zijn, maar dan moest hij nu zijn kans grijpen.

Van op ruime afstand hield Sam Ben in de gaten. Zijn hart

begon sneller te slaan toen de oppasser als bevroren bleef staan.

Hij zag hoe Ben de Pilstromtang klaar hield en hoorde het angstaanjagende gefluit van de bosmeester. Hij rook hoe de geuren van het uitgedroogde park zich vermengden met die van zijn eigen zweet.

Een drietal felle bliksemflitsen. Sam keek even weg van het tafereel. Toen weerklonk er een kreet. Sam zag Ben achter uitdeinzen en naar zijn rechterbeen grijpen. De bosmeester staarde hem met wiebelende kop aan, alsof hij een tweede aanval overwoog.

Sam sprong op, koos de kortste weg langs de struiken en holde naar de open plek. Hij trok de slangentang uit de rechterhand van Ben die hem met ogen vol verbazing aankeek. De reeks trillingen die Sam voortbracht, leken de bosmeester te verwarren. Of was het nog iets anders? De slangenkop wendde zich van Sam af. Dat gaf hem de gelegenheid om wat meer achter het reptiel te komen. Hij liet de tang openklappen, meende dat Ben iets als 'Nee, Sam!' schreeuwde en stak dan toe..

Woedend kronkelde de bosmeester zich in lussen om de lange stok, maar de slang kon geen kant meer op. De tang was dichtgeklapt net achter haar kop.

En nu? Sam had door het hevige kronkelen van de slang moeite om de tang vast te houden en vreesde dat het reptiel zichzelf op de een of andere manier zou bevrijden.

Maar vooral: Ben was gebeten en had dringend hulp nodig. Hij kreeg de kans niet om zich nog meer vragen te stellen.

'Blijf waar je bent en laat die tang niet los,' siste een mannenstem hem toe. Er priemde een mes in Sams rug. Hij had geen andere keuze dan te gehoorzamen.

'Moge God jullie genadig zijn. Maar ik zal afmaken wat Hij me heeft opgedragen.'

Ben had Sanctus nooit gezien, maar wist meteen wie de man met de zwarte cape was die schuin achter Sam stond. 'Laat de jongen gaan,' riep hij de evangelist toe.

'Dat laat ik aan Hem over.' Hij dook op naast Sam. In zijn linkerhand hield hij een machete. De pijn van de slangenbeet en de angst knepen Bens keel dicht. Hij gaat toch niet...

Sam hoopte op een wonder. Hij was in de handen van een gek gevallen. Maar hij wilde zijn lot niet machteloos ondergaan. Als hij de vangstok wegwierp, zorgde hij misschien voor een moment van vertwijfeling. Of zou hij nu heel hard moeten schreeuwen?

Plotseling zette Sanctus twee stappen vooruit. Zijn machete schoot bliksemsnel uit...

Sam geloofde zijn ogen niet. Met een feilloze houw had zijn belager de bosmeester onthoofd.

Toen Sanctus het resultaat zag, liet hij het kapmes vallen. Hij spreidde zijn armen en keek omhoog. Hij barstte uit in een duivelse bulderlach.

Sam smeet de Pilstromtang met het nog kronkelende slangenlijf weg en rende naar Ben.

'Waar is je tegengif?'

'In... mijn... rechterbroekzak.' Zijn stem was doortrokken van pijn en uitputting. 'Maar... ik wil het... zelf wel... doen.'

'Niets van, we hebben geen eeuwen de tijd.' Sam vond het doosje, haalde er het antiserum uit en prikte de injectienaald in de bil van Ben.

Inmiddels was het donkerder geworden boven het Rivierenhof. De bliksemschichten volgden elkaar sneller op, de roffels van de donder werden steeds luider. Voor Joao Sanctus was het een teken dat hij God nog één groots offer moest brengen.

De sekteleider knielde en greep de afgehakte kop van de bosmeester. Toen hij weer rechtop stond, stak hij hem triomfantelijk in de lucht. 'Heer, de Duivel is dood, aanvaard dit offer en schenk mij het eeuwige leven.'

Sam keek verbijsterd toe. Eén beeld zou hem nog vaak uit zijn slaap houden. Als hij het niet zelf had gezien, had hij het nooit geloofd. Er leek beweging te komen in de slangenkop. Plotseling ging de bek open, de giftanden klapten uit. Sanctus merkte het niet, nu hij totaal was opgegaan in zijn aanbidding. Maar hij voelde wel hoe de tanden diep in zijn linkerhand zonken.

Net op dat moment sloeg de bliksem vlakbij met verwoestende kracht in op een boom. Een grote tak begaf het, zwiepte weg en vermorzelde de schedel van Sanctus.

Dat eeuwige leven was nogal kort van duur.

Epiloog

Sam luisterde naar het geluid van de regen die tegen het raam van zijn slaapkamer kletterde. Na die eindeloze verzengende hitte een echt hemels geluid. Rennen in de plenzende regen, dat wou hij doen... Goed om de ongelooflijke gebeurtenissen van drie dagen geleden weg te spoelen. Zijn vriend Nick had nog gebeld vanuit Frankrijk. Het was er vijfendertig graden warm. Voor één keer benijdde Sam hem niet...

Gisteren was hij op ziekenbezoek gegaan bij Ben, samen met Erik. Inspecteur Severijns was er ook. De politieman die nog veel hoofdpijn had, vertelde Sam dat men geen enkel sektelid had kunnen opsporen. Hij maakte zich geen illusies: er zou wel weer een leider opstaan die zich wanstaltig zou verrijken op de rug van een massa goedgelovigen.

Vandaag mocht Ben weer naar huis. Het slangengif had geen belangrijke schade aangericht. Het antiserum was net op tijd toegediend.

Sam zou morgen zijn vakantiebaan hervatten. Gelukkig was niet alles kommer en kwel. Niet alleen mocht hij van Ben die mooie zwarte boomslang verzorgen, hij verkreeg ook het peterschap over het dier. Hij zou dan een jaar lang de kosten van de voeding op zich nemen, zoals vele sympathisanten van de dierentuin dat deden. Ben vond het een schitterend plan en Sam kon zijn moeder vertellen dat hij toch zijn eigen slang had.

Hij vond het ook prettig dat de burgemeester hem had opgebeld om hem te bedanken.

Terwijl zijn gedachten afdwaalden naar het wrede lot dat de bosmeester had ondergaan, rinkelde de deurbel. Sam riep naar zijn moeder dat hij wel zou gaan kijken wie het was.

Hij opende heel voorzichtig de voordeur. Voor hem stond een man in een donker pak met wit hemd en zwarte das.

'Een goedenavond. Ik kom even iets afleveren.' De man zette een zwaar pakket neer. Sam schatte het op ruim een meter lang en vijftig centimeter breed. In de zijkanten zaten kleine luchtgaatjes. Hij had geen idee wat zijn ouders hadden besteld.

'Kunt u hier aftekenen?'

Op de vrachtbrief stond een afzender uit Brazilië. Er bewoog iets in het pakket…

De regenbuien hielden urenlang aan en het water van de vijver steeg steeds meer. Het bereikte net het nest van de bosmeester op het moment dat de jonge slangen zich probeerden te bevrijden uit de leerachtige schaal. Bij andere zag je de bewegingen binnenin het ei. Geen enkele jonge slang maakte een kans tegen het binnenstromende water. Het bruuske temperatuurverschil was te groot.

Of toch… Eéntje had zijn moeder vergezeld toen die voor de laatste keer in haar leven de schuilplaats had achtergelaten. Hij lag nu opgerold in een holle boomstam. Over enkele dagen zou het weer warmer worden. Misschien was hij sterk genoeg om het te halen…

Noot van de schrijvers

Onze dank gaat uit naar Ben Van Dijck voor zijn bereidwillige medewerking. Ook de betreurde auteur John Godey mag hier niet vergeten worden. Zijn roman *The Snake* leverde de inspiratie voor dit verhaal. Zijn ontsnapte zwarte mamba in Central Park, New York, werd een bosmeester in het Rivierenhof in Antwerpen.

De bosmeester behoort tot de tien giftigste slangen ter wereld. Maar welke soorten zijn het giftigst?

De giftigste slang leeft in de Timorzee ten noordwesten van Australië. Het is de roerstaartzeeslang, zijn gif is honderdmaal sterker dan dat van alle bekende landslangen. De giftigste landslang is de Australische taipan. Een beet van deze soort betekent dat je nog veertig minuten te leven hebt. Andere soorten uit de top 10 die je absoluut moet mijden zijn de zwarte mamba – ook de snelste slang –, de diamantratelslang, de gabonadder, de Zuid-Amerikaanse lanspuntslang, de koningscobra – de langste gifslang ter wereld, meer dan vier meter lang! – en de zaagschubadder. Deze laatste is klein maar zeer dodelijk, hij maakt veel slachtoffers in dichtbevolkte gebieden in Azië en Afrika.

Bij ons leeft er ook een gifslang: de gewone adder. Maar wees gerust: een beet is niet levensgevaarlijk maar moet wel behandeld worden met een tegengif. De kans dat je sterft als gevolg van een auto-ongeluk of door een klusje thuis is vele malen groter dan dat je doodgaat aan een slangenbeet.

En jullie zullen zich afgevraagd hebben: een slang die fluit? Is dat waar? Ja, de bosmeester laat bij gevaar een soort gefluit horen. Bovendien kan hij net zoals de ratelslangen met zijn staart ratelen, alleen zijn het bij hem losse schubben die het geluid maken.